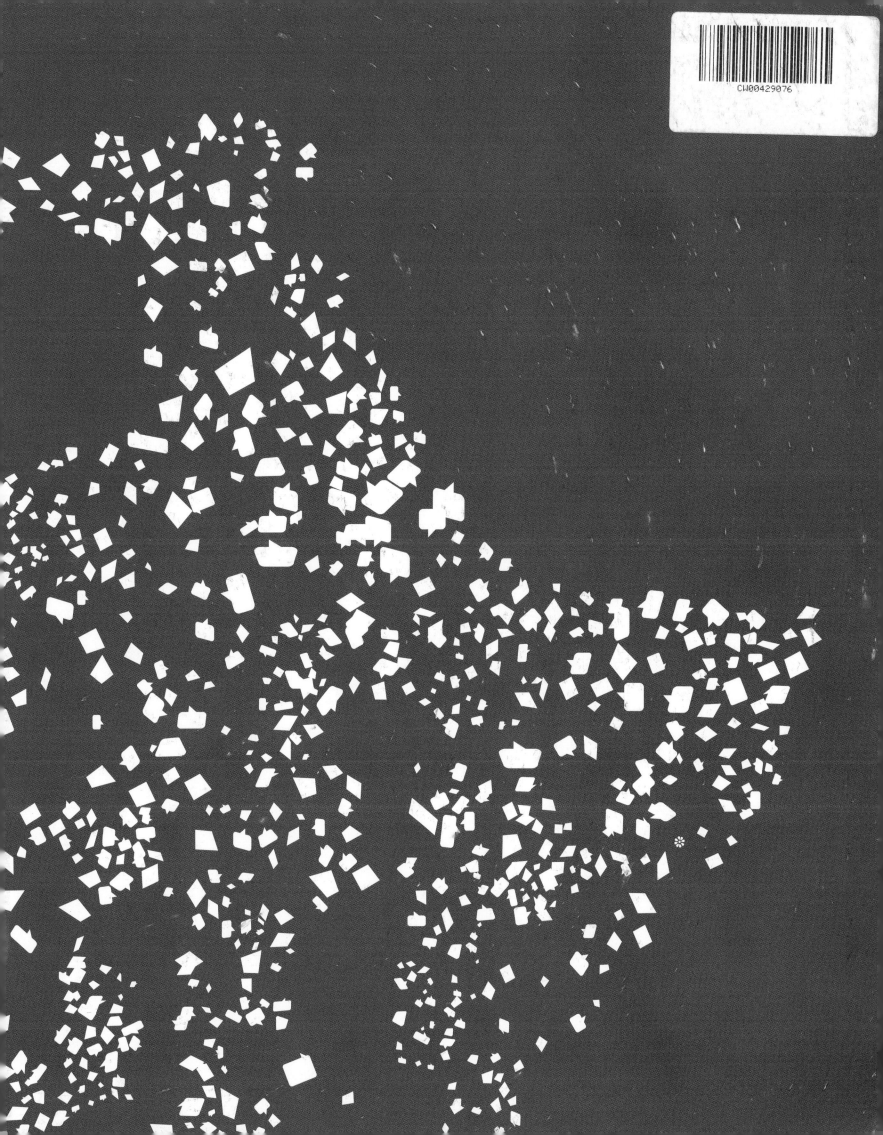

Pour Alice.
Pour Jean-François.

ISBN : 978-2-07-062671-7
© Éditions Gallimard Jeunesse 2009
Loi n° 49 956 du 16 juillet 1949 sur les publications destinées à la jeunesse.
Tous droits de traduction, de reproduction et d'adaptation réservés pour tous pays.
Dépôt légal : avril 2014 - N° d'édition : 261171
Photogravure : Scanplus
Imprimé par EGEDSA (Espagne)

Fabrice Hervieu

L'Afrique

GALLIMARD JEUNESSE

Sommaire

L'Afrique, de l'Algérie au Zimbabwe

Qu'est-ce que l'Afrique ? 8

Le continent africain 10

L'Afrique du Nord 22
Le Maroc 24
L'Algérie 26
La Tunisie 28
La Libye 30
L'Égypte 32
La Mauritanie 34

L'Afrique de l'Ouest 38
Le Sénégal 40
La Gambie 42
Le Cap-Vert 43
Le Mali 44

Le Burkina-Faso 46
La Guinée 48
La Guinée-Bissau 49
La Sierra Leone 50
Le Liberia 51
La Côte d'Ivoire 52
Le Ghana 54
Le Togo 56
Le Niger 57
Le Bénin 58
Le Nigeria 60

L'Afrique de l'Est 64
Le Soudan 66
Le Soudan du Sud 67
L'Éthiopie 68
L'Érythrée 70
Djibouti 71
La Somalie 72

Le Kenya 74
L'Ouganda 76
La Tanzanie 77

L'Afrique centrale 80
Le Tchad 82
La République centrafricaine 83
La Guinée équatoriale 84
São Tomé-et-Príncipe 85
Le Cameroun 86
Le Gabon 88
La République démocratique du Congo 90
Le Rwanda 92
Le Burundi 94
Le Congo 95

L'Afrique australe 98

L'Angola 100
La Zambie 101
Le Zimbabwe 102
Le Mozambique 104
Le Malawi 106
Les Comores 107
Les Seychelles 108
Maurice 109
Madagascar 110
La Namibie 112
Le Botswana 113
Le Lesotho 114
Le Swaziland 115
L'Afrique du Sud 116

Tous les pays d'Afrique 120

Index 122

L'Afrique : histoire, politique, économie et société

Le continent des premiers hommes 12

Les empires et les grands royaumes 14

Les traites esclavagistes 16

La colonisation du continent 18

Le temps des indépendances 20

Démocraties contrariées, démocratisation en marche 36

Adhérer ou résister à la mondialisation ? 62

La société civile sur le devant de la scène 78

Une création internationale, une pensée rebelle 96

Des sagesses à portée universelle 118

Qu'est-ce que l'Afrique ?

Plus de 30 millions de km^2 étendus sur six fuseaux horaires, 960 millions d'habitants et bientôt un milliard, répartis sur cinquante-quatre pays, l'Afrique est un continent géant. Avec 60 % de moins de 20 ans, une population devenue urbaine à 50 %, une forêt équatoriale deuxième poumon du monde, une tradition d'adaptabilité à un environnement en évolution constante, une phase de démocratisation commencée depuis vingt-cinq ans, et l'apparition de puissances régionales, l'Afrique peut se prendre à rêver de « seconde indépendance ».

Un nom historique

Sans doute issu du mot berbère *ifri* (qui signifie « rochers ») ou du mot *aferkiw* (« celui qui vit sur une terre »), ou encore du nom des Afrig ou Afridi (« noirs »), une population du nord de l'actuelle Tunisie, la langue romaine la désigne comme l'Ifriquia. À l'époque, ce mot ne concerne que les territoires connus des Romains (Afrique du Nord, Égypte, terres inexplorées du Sahara). Les Arabes reprennent ensuite le mot *ifriqiya* pour nommer l'actuelle Tunisie. Le nom Afrique est par la suite étendu à tout le continent.

Des cultures métissées

Le continent a commencé son long brassage avec les deux grandes migrations historiques des agriculteurs bantous de l'ouest vers l'est et le sud, puis des pasteurs nilo-sahariens de l'est vers le sud. Les Asiatiques, Arabes et Européens sont venus compléter ces rencontres pour donner aujourd'hui une population arabe au nord, noire au sud, métissée culturellement dans son ensemble. Le continent accueille aussi une forte communauté libanaise sur son littoral ouest, indienne sur son littoral est (2 millions), blanche sud-africaine, et une communauté chinoise de plus en plus nombreuse (1 million).

Une mosaïque de langues

Avec plus de mille cinq cents langues parlées sur son territoire, le continent représente le plus important patrimoine linguistique de la planète. Entre les nombreux dialectes minoritaires et les langues des anciens colonisateurs parlées à l'échelle continentale (anglais, français, portugais, arabe), il existe une série de langues de communication à l'échelle régionale (par exemple, le dioula à l'ouest, le swahili à l'est, le lingala au centre).

De nouvelles solutions

Depuis les années 1960, les Africains ont fait face au triplement de leur population, au maintien de la grande majorité des frontières de leurs États, à une trentaine d'assassinats de chefs d'État, à un génocide (Rwanda) et à de nombreuses guerres civiles par la mise en place de commissions « vérité et réconciliation » (Afrique du Sud, Sierra Leone) et de tribunaux pour juger les crimes de guerre (TPIR, TSSL) ; à des crises réglées ces dernières années par des gouvernements d'union nationale (Côte d'Ivoire, Kenya, Zimbabwe) ou par la mise sur pied d'un début de force africaine de maintien de la paix (Somalie, Darfour, Mali).

Des frontières artificielles

Héritées de la colonisation, déclarées intangibles dans les années 1960, les frontières du continent ont très peu été modifiées depuis. Mais, si elles sont reconnues par les États, ces frontières restent contestées par des populations qui sont soit « coupées en deux », soit obligées de les dépasser en cas de conflit pour se réfugier dans un pays voisin, soit encore de passer outre pour des raisons agricoles ou pastorales (par exemple, les Massaïs situés entre le sud du Kenya et le nord de la Tanzanie).

Trois religions dominantes

Le rapport au sacré et la présence de la spiritualité dans la vie quotidienne demeurent très importants sur le continent. Les animistes (culte des ancêtres, rôle des esprits, polythéisme) sont environ 137 millions d'adeptes, les chrétiens représentent moins d'un Africain sur trois, soit 304 millions, et les musulmans (en majorité sunnites) plus d'un Africain sur trois, soit 371 millions. Une grande vague de fondamentalisme protestant (pentecôtisme) soutenue par les États-Unis touche surtout l'Afrique de l'Ouest, centrale et australe.

Une économie marginale

L'Afrique ne représente que 1 % du produit intérieur brut (PIB) mondial, que 2 % du commerce de la planète et ne cultive que 27 % de ses terres arables. Grâce à sa réactivité et à son ingéniosité, l'économie informelle, celle des couches populaires, permet au plus grand nombre de vivre ou de survivre. Les récentes zones d'influence asiatique et notamment chinoise (premier partenaire commercial du continent), qui ressemblent à une nouvelle forme de colonisation, dopent certes la croissance, mais orientent trop l'économie vers le seul secteur primaire.

Des difficultés inégalement réparties

Les trois grandes zones de peuplement sont les côtes de l'Afrique du Nord, l'ensemble de l'Afrique occidentale entre Sahel et Atlantique et l'ensemble des hautes terres de l'Est allant de l'Érythrée à l'Afrique australe. Au milieu, l'espace est plutôt faiblement habité. La menace de sécheresse concerne surtout les zones sahéliennes, la pandémie de sida surtout la partie australe, les conflits guerriers, à l'exception de la façade guinéenne et de la Somalie, surtout une zone centrale partant du Niger jusqu'aux Grands Lacs.

Un avenir panafricain ?

À l'image du Sahara qui, loin d'être une barrière, a plutôt été un trait d'union entre Afrique du Nord et Afrique subsaharienne, dans la lignée de tentatives historiques d'unification autour des grands empires, le continent parle de s'unir depuis les indépendances. De solides organisations économiques régionales existent et fonctionnent, mais les dirigeants restent pour l'instant divisés sur les moyens de parvenir aux États-Unis d'Afrique, une structure politique qui permettrait au continent de mieux se faire entendre dans le cadre de la mondialisation.

Le continent africain

Un continent fondamentalement tropical, situé entre le 37ᵉ degré Nord et le 54ᵉ degré Sud, qui au nord fait face à l'Europe, à l'est se frotte à l'Orient et est entouré de deux mers et deux océans.

Des contraintes naturelles contournées

Mis à part les plus fortes contraintes climatiques (désert du Namib, sols inexploitables), il n'y a pas de difficultés naturelles que les Africains n'aient pu contourner. Les populations ont toujours su faire face à la forêt dense (Pygmées), au désert (Touareg) et elles utilisent souvent les montagnes et les collines pour les cultures en terrasses (Maghreb, Madagascar, Rwanda).

Un climat à majorité tropical

À l'exception de sa frange septentrionale, le nord du Maghreb, et de sa frange méridionale, la pointe de l'Afrique du Sud, au climat de type méditerranéen, l'ensemble du continent est sous l'influence du climat tropical. Avec une plus ou moins grande variation selon la proximité de l'équateur, partout une saison sèche alterne avec une saison des pluies.

Une pénurie prévisible d'eau

Niger, Sénégal, Nil, Congo, Zambèze, Orange... la grande majorité des fleuves n'est pas entièrement navigable et est peu exploitée sous forme d'énergie hydraulique. Les coopérations régionales entre pays frontaliers d'un même fleuve restent essentielles pour la prévention des conflits potentiels. Car la majorité de la population n'accède pas à l'eau potable.

De nouvelles formations urbaines

Les grands centres urbains se sont développés sur les côtes (Casablanca, Abidjan, Lagos). Et de plus en plus de nébuleuses ruralo-urbaines, espaces à forte densité humaine, poussent, comme par exemple autour de Nairobi, de Johannesburg ou de la Copperbelt (entre Zambie et République démocratique du Congo). Mais l'exode rural tend à s'inverser, et certains habitants reviennent vers les bourgs et les villages.

Les ravages de la déforestation

Sécheresse, désertification – donc dégradation des terres – menacent plus du quart de la population africaine. Les besoins énergétiques des populations et la surexploitation forestière industrielle, très souvent mafieuse, expliquent les ravages de la déforestation. Le problème est criant en Afrique centrale, un des poumons de la planète, où un million d'hectares disparaît chaque année.

Îles géographiques et non politiques

La plupart des grandes îles/pays, comme le Cap-Vert, situées le long des côtes, font partie de l'Afrique. Seules les îles Canaries (Espagne), Sainte-Hélène (Royaume-Uni), les Açores et Madère (Portugal), les îles Éparses, Mayotte et La Réunion (France) sont géographiquement localisées autour du continent mais n'appartiennent pas à l'Afrique politique.

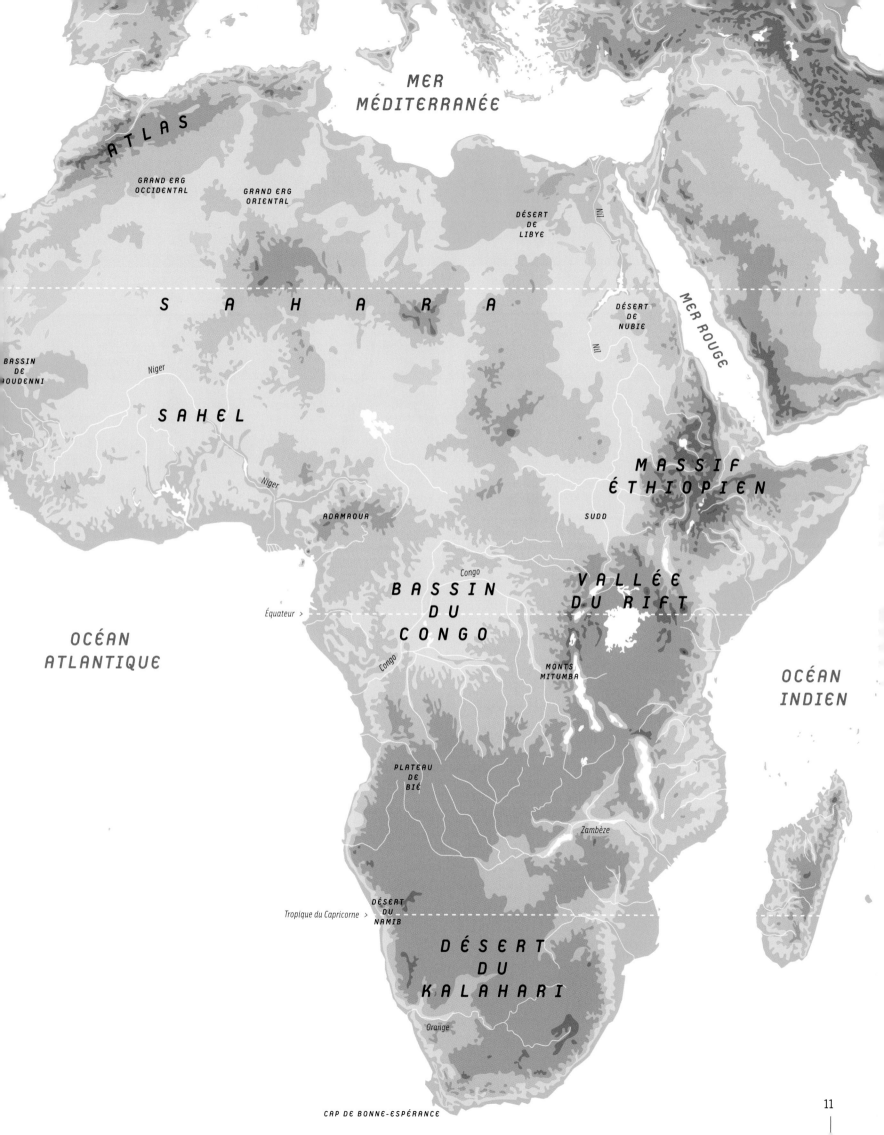

MER
MÉDITERRANÉE

ATLAS

GRAND ERG
OCCIDENTAL

GRAND ERG
ORIENTAL

DÉSERT
DE
LIBYE

Nil

S A H A R A

DÉSERT
DE
NUBIE

MER ROUGE

BASSIN
DE
OUDENNI

Niger

Nil

SAHEL

Niger

MASSIF
ÉTHIOPIEN

ADAMAOUA

SUDD

Congo

BASSIN
DU
CONGO

VALLÉE
DU RIFT

Équateur >

OCÉAN
ATLANTIQUE

Congo

MONTS
MITUMBA

OCÉAN
INDIEN

PLATEAU
DE
BIÉ

Zambèze

DÉSERT
DU
NAMIB

Tropique du Capricorne >

DÉSERT
DU
KALAHARI

Orange

CAP DE BONNE-ESPÉRANCE

11

Le continent des premiers hommes

Le continent a sans doute vu naître les premiers hommes et a fait rayonner les premières civilisations avec l'Égypte pharaonique et le royaume de Koush.

Le berceau de l'humanité

Les plus anciens témoignages d'hominidés viennent de restes ou de fossiles trouvés sur les sites d'Olduvai en Tanzanie et de Koobi Fura au Kenya. Il s'agit d'abord d'*Homo habilis* qui remonte à environ deux millions d'années, et de son successeur *Homo erectus*, sans doute inventeur du feu, pionnier du langage, et grand conquérant (Sud-Est asiatique, Chine, Afrique orientale, Afrique du Nord, Europe).

Il y a 100 000 ans apparaît *Homo sapiens sapiens*, notre ancêtre direct, dont les traces ont été retrouvées dans la vallée de l'Omo (Éthiopie) et à Border Cave et Klasies River Mouth (Afrique du Sud). Découverts en pays afar (Éthiopie), des crânes fossilisés datés d'environ 160 000 ans ont été qualifiés de plus anciens restes connus au monde de l'homme moderne.

Koush, premier royaume noir de l'histoire

En 3150 av. J.-C., le pharaon Narmer Ménès unifie Nord et Sud égyptiens, fonde This comme capitale et crée la Iʳᵉ dynastie égyptienne. Les Sumériens de Mésopotamie n'ayant encore construit que des cités, on peut dire que l'Égypte a fondé le premier État du monde.

Au même moment, en région nubienne au sud de l'Égypte, des agriculteurs venus du sud et de la Corne de l'Afrique métissés avec des populations de la péninsule arabique créent le pays de Koush, plus ancien royaume noir de l'histoire. Ils introduisent très tôt la culture du millet et du sorgho en Égypte et celle du sésame en Éthiopie.

L'impact de la métallurgie du fer

La technique de la céramique a été élaborée il y a 10 000 ans dans l'Aïr et les régions sahariennes voisines et donne naissance aux civilisations de la vallée du Niger. Plus tard, l'Afrique passe directement de l'âge de la pierre à l'âge du fer sans l'intermédiaire d'un âge du bronze ou du cuivre, comme sur les autres continents. Technique vieille d'au moins 5 000 ans, utilisant des bas fourneaux qui permettent d'atteindre les températures supérieures à 1 000 °C nécessaires à la réduction du minerai, la métallurgie du fer se retrouve dans plusieurs centres comme au Niger (2500 av. J.-C. à Egaro, 1500 av. J.-C. à Termit), au Nigeria (IXᵉ siècle av. J.-C. à Taruga, Xᵉ siècle à Nok), au Gabon (VIIᵉ siècle av. J.-C. à Otoumbi), et au Soudan (VIᵉ siècle av. J.-C. à Méroé).

Le forgeron, personnage central

Il fabrique le fer de la *daba*, cette houe qui permet de cultiver la terre, mais aussi les armes les plus redoutables comme les sagaies, épées et pointes de flèche. Du fait de sa maîtrise du métal, le forgeron pratique aussi la circoncision lors des initiations traditionnelles. Quelle que soit la région d'Afrique, il a donc joué un rôle déterminant dans l'apparition de l'agriculture, le succès des guerres et dans la transmission des valeurs éducatives des sociétés rurales d'autrefois. Il bénéficie d'un statut spécial : tantôt il est craint parce qu'il détient un pouvoir mystique, tantôt il est respecté et associé aux origines du pouvoir politique.

Les pharaons noirs de Kerma, Napata et Méroé

À partir de 747 av. J.-C., des pharaons noirs, de type africain, règnent sur le trône d'Égypte pendant un siècle appelé XXVᵉ dynastie. Taharka le Grand porte à son apogée un empire égyptien qui n'a jamais été aussi vaste. En 656 av. J.-C., les Nubiens sont chassés d'Égypte par le pharaon Psammétique Iᵉʳ, mais continuent de gouverner la Nubie. Des dynasties noires ont dominé les royaumes nubiens de Kerma, de Napata et de Méroé durant des millénaires. Ils ont beaucoup de points culturels communs avec les Égyptiens, l'érection de pyramides, par exemple.

Taharka, roi de la XXVᵉ dynastie, vers 690-664 av. J.-C.

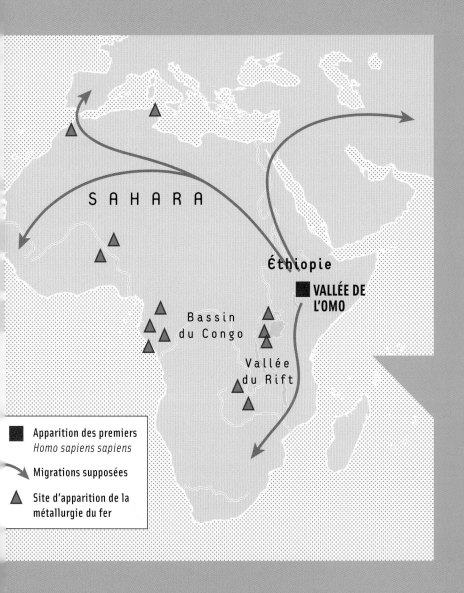

SAHARA

Éthiopie

■ VALLÉE DE L'OMO

Bassin du Congo

Vallée du Rift

■ Apparition des premiers *Homo sapiens sapiens*

→ Migrations supposées

▲ Site d'apparition de la métallurgie du fer

Les migrations des premiers hommes

Concernant les origines de l'homme, les scientifiques penchent, à ce jour, soit pour l'hypothèse d'une naissance en un lieu unique, l'Afrique, avec extension à travers le monde, soit pour la théorie d'une naissance simultanée en plusieurs endroits du globe. La plus forte concentration de sites archéologiques avec des restes de premiers hommes se trouve sur le continent. Les premiers types d'hominidés à quitter les sites de l'Afrique orientale pour migrer vers l'Eurasie sont sans doute des *Homo habilis* partis il y a entre 3 et 2 millions d'années. *Homo sapiens sapiens*, lui, migre dans le monde entier à partir de 100 000 ans av. J.-C.

- 7 millions d'années — Apparition d'une espèce située entre les hominidés et l'homme moderne (découverte d'un crâne baptisé Toumaï)

- 100 000 ans — Apparition d'*Homo sapiens sapiens*, l'ancêtre de l'homme moderne et premières migrations hors du continent vers l'Eurasie

8500 av. J. C. — L'homme passe de l'économie de chasse et de cueillette à l'agriculture et l'élevage.

3150 av. J. C. — Début de l'histoire égyptienne avec l'unification du Nord et du Sud du pays

3000 av. J. C. — L'Afrique invente et développe sa propre métallurgie du fer.

747-656 av. J. C. — XXVᵉ dynastie, les pharaons noirs nubiens règnent sur le trône d'Égypte.

Les empires et les grands royaumes

La région sahélo-soudanienne est le socle le plus ancien des premiers États africains. Ruines, traditions orales et textes anciens confirment que le continent a bien une histoire.

Des empires puissants et décentralisés

Les grands empires, inaugurés chronologiquement par le royaume du Ghana au VIIIᵉ siècle, sont certes des États structurés comme de véritables fédérations multiethniques homogènes, mais ils ne correspondent pas à une organisation politique où un chef central contrôlerait tous les pouvoirs. Chaque groupe humain reste autonome, assure une solidarité aux autres ; le pouvoir central a le monopole des biens précieux mais des fonctions limitées, et veille surtout à la sécurité de l'ensemble en échange d'un tribut (impôt). L'empire du Mali comptait par exemple quelque quatre cents centres urbains pris en charge par des fonctionnaires décentralisés. Ces États ne sont pas toujours structurés autour d'une ville faisant office de centre ; de nombreuses guerres avec gains ou pertes de territoires sans délimitation géographique fixe provoquent la mobilité des populations. Cependant, la royauté se perpétue dans des objets symboliques facilement identifiables par la mémoire collective : sièges, sceptres, masques, statuaire, tablettes à mémoire... Souvent autoritaires, les empires peuvent prendre la forme soit de tyrannie, soit de démocratie participative.

L'invention démocratique

Le dirigeant traditionnel africain est l'être le moins libre de son peuple. Quel que soit son statut, le souverain ne gouverne en effet pas selon son bon plaisir. Il doit respecter une étiquette, des rites et traditions, se conformer à un code particulièrement contraignant (par exemple : ne pas prendre ses repas en présence d'une autre personne). Il symbolise l'unité politique, tire son pouvoir sacré de Dieu ou des ancêtres et reste contrôlé par différents interdits et contre-pouvoirs qui limitent son autorité : notables du conseil royal qui décident de son successeur *(Ewe)*, caractère collégial de l'exercice de la souveraineté (principautés wolof), contrôle démocratique du peuple où le chef n'est qu'un mandataire (Bambara, Gouro), existence d'un adjoint au roi disposant d'une partie du pouvoir exécutif (Mendé) ; autant d'exemples qui montrent que le pouvoir du roi n'est jamais absolu.

Frontières invisibles mais réelles

Populations mobiles, territoires fluides, les empires possèdent quand même de véritables frontières mais elles prennent des formes très différentes. La cité-État d'Abeokuta (actuel Nigeria) construit de hauts remparts en terre pour se protéger des ennemis. Le royaume du Dahomey (actuel Bénin) installe des postes à péage douanier pour surveiller son territoire. L'empire zoulou (actuelle Afrique du Sud) s'entoure d'une sorte de no man's land dans lequel il effectue des patrouilles de surveillance.

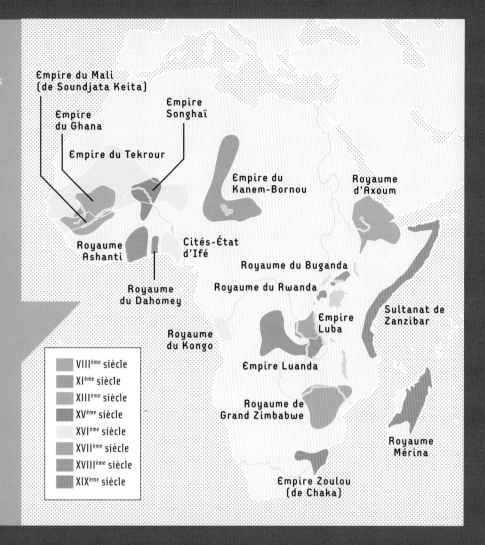

Empire du Mali (de Soundjata Keita)
Empire du Ghana
Empire du Tekrour
Empire Songhaï
Empire du Kanem-Bornou
Royaume d'Axoum
Royaume Ashanti
Cités-État d'Ifé
Royaume du Dahomey
Royaume du Buganda
Royaume du Rwanda
Empire Luba
Sultanat de Zanzibar
Royaume du Kongo
Empire Luanda
Royaume de Grand Zimbabwe
Royaume Mérina
Empire Zoulou (de Chaka)

- VIIIème siècle
- XIème siècle
- XIIIème siècle
- XVème siècle
- XVIème siècle
- XVIIème siècle
- XVIIIème siècle
- XIXème siècle

Un texte précurseur des droits de l'homme

En 1222, dans le petit village de Kurukanfuga, l'empereur du Mali Soundjata Keita, dans le but de s'assurer une paix durable sur l'ensemble de son territoire, instaure la charte du Mandé. Pacte consensuel qui lie treize peuples, ce texte de quarante-quatre articles qui commence par la phrase « Toute vie humaine est une vie », évoque l'abolition de l'esclavage, la protection de l'étranger, la sauvegarde de la nature, le respect de la femme, la parenté à plaisanterie... Moderne, il peut être considéré comme un texte précurseur des droits de l'homme et une des premières constituantes du monde (constitution).

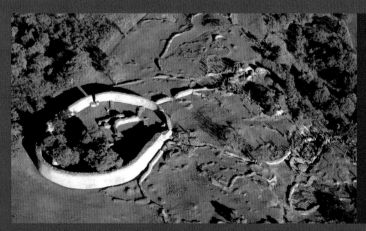

Sociétés à écriture, sociétés à histoire

Le site archéologique de Great Zimbabwe, le plus important de toute l'Afrique subsaharienne, témoigne de la présence d'imposantes structures politiques et prouve que le continent a bel et bien une histoire. De la même manière, l'existence, entre autres, des écritures amharique (Éthiopie), bamoum (Cameroun), kpellé et script vaï (Ghana), osmaniya (Somalie), nsibidi (Nigeria) attestent que l'on trouve trace de l'écrit sur tout le continent. Les civilisations africaines ne sont pas seulement issues de traditions orales, mais bien de « peuples à écriture ».

Vue aérienne du site de Great Zimbabwe

VIIIe siècle Naissance de l'empire du Ghana

XIe siècle Les rois du Kanem adoptent l'islam.

1222 Soundjata Keita instaure la Charte du Mandé.

XIIIe siècle Apogée du royaume Shona de Great Zimbabwe

XIVe siècle Apogée de l'empire du Mali. Cité-État d'Ifé, berceau de la civilisation yoruba

XVIIIe siècle Apogée du royaume du Buganda et du royaume Ashanti

XIXe siècle Les derniers empires entrent en conflit avec les Européens.

Monument en mémoire de l'esclavage, Gorée, Sénégal

Les traites esclavagistes

Les Africains ne sont pas à l'origine des traites musulmane et atlantique,
des crimes contre l'humanité qui marquent le continent jusqu'aujourd'hui.

Motivations de la traite négrière

L'esclavage a existé dès les premières sociétés humaines, l'Égypte pharaonique s'approvisionnait déjà en Nubie. Mais plusieurs facteurs favorisent le véritable essor de la traite. Côté africain, il s'agit des guerres entre grands royaumes africains avec un nombre de captifs toujours plus important, mais aussi du commerce européen de fusils destinés aux chasses à l'homme alimentant de nouvelles guerres, du retournement par les Européens d'anciens captifs devenus négriers, et enfin de la conquête arabe avec de nouveaux débouchés pour des intermédiaires peu scrupuleux. Pour les Arabes, le commerce d'esclaves est motivé par les besoins en main-d'œuvre sur le continent (canaux d'irrigation des oasis sahariens, extraction minière, plantations de Zanzibar), et dans les pays orientaux (soldats, domestiques, eunu-

ques, concubines). Les Européens, eux, ont besoin de main-d'œuvre aux Amériques pour remplacer les Indiens dans les mines et les plantations de sucre et de coton.

Les trois grandes traites

La traite interne au continent africain a commencé dès le VIe siècle et concerne ensuite de nombreux États courtiers qui s'enrichissent tant en Afrique de l'Ouest (Oyo, Dahomey, Ashanti, Bénin), en Afrique centrale (Kongo, Matamba, Luanda, Luba) que sur les côtes orientales (Zanzibar, Aden).
L'ensemble des traites négrières a déporté environ 42 millions de personnes avec 11 millions pour la traite interne africaine, 17 pour la traite musulmane et 14 pour la traite atlantique. Mais on estime à dix fois plus le nombre de victimes causées par les conditions de

leur capture, de l'acheminement vers les côtes et des transports en mer.

Quel impact sur le continent ?

Les effets négatifs de la traite sont considérables pour l'Afrique : ponction en hommes retardant la croissance démographique, appauvrissement économique lié au pillage de sa force de travail, généralisation de sociétés esclavagistes jusqu'au XXe siècle sur le continent et maintien de formes d'esclavage encore aujourd'hui (Mauritanie, Niger, Soudan), persistance contemporaine d'un racisme antinoir (certains pays du Maghreb), frustrations et rancœurs accumulées : l'histoire a mis du temps à reconnaître la traite atlantique comme un « crime contre l'humanité ».

Le commerce triangulaire

Attaques de villages, enlèvements, achats de captifs de guerre... depuis l'intérieur du continent, les trafiquants africains acheminent ces esclaves vers les côtes puis les enferment dans les forts de traite. Ce « commerce » est appelé triangulaire car il met en relation l'Europe, l'Afrique et l'Amérique. Les esclaves sont achetés par les commerçants européens contre des marchandises (pacotille, tissus, armes), puis embarqués vers les Amériques (Brésil, États-Unis, Antilles) où ils sont vendus pour travailler dans les champs contre des denrées (tabac, sucre, cacao, coton, café) rapportées vers l'Europe.

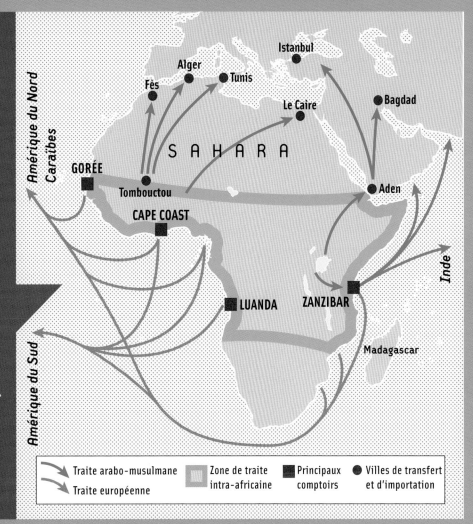

Légende :
→ Traite arabo-musulmane
→ Traite européenne
▦ Zone de traite intra-africaine
■ Principaux comptoirs
● Villes de transfert et d'importation

Le château de Cape Coast

Situé dans l'actuel Ghana, le château de Cape Coast est un des plus importants ports d'exportation d'esclaves au XVIIIᵉ siècle. Au sein de ce fort de traite sont enfermés les esclaves en attente et sont conclues les transactions entre les États africains fournisseurs et les négriers européens. Il faut un à quatre mois pour remplir un navire de six cents personnes. Les esclaves y sont emprisonnés dans des conditions épouvantables, alors que le gouverneur britannique y vit et loge somptueusement aux étages avec vue sur mer.

Musulmans esclavagistes

Selon le texte saint de l'islam (Coran), un musulman n'a pas le droit de réduire à l'esclavage un autre musulman, la tradition musulmane *(hadiths)* invite même le croyant à affranchir ses esclaves. Mais les empires arabe, perse et ottoman n'y voient aucune contrainte, et viennent donc s'approvisionner auprès de populations animistes, païennes, en Afrique subsaharienne. Le monde musulman met même au point trois *Codes noirs* arabes qui donnent un cadre juridique et valident ce commerce honteux.

650-1920 Traite musulmane étendue sur treize siècles	**1444-1869** Traite atlantique étendue sur quatre siècles	**1807** Le Royaume-Uni abolit la traite, et l'esclavage à partir de 1833.
VIᵉ -XIXᵉ siècle Traite interne africaine étendue sur quatorze siècles	**1444** Les Portugais vendent les premiers esclaves noirs à Lagos au Portugal.	**1793-1794** Première abolition de l'esclavage dans les colonies françaises **1846** La Tunisie, premier pays du continent à abolir l'esclavage

La prise de Constantine (Algérie) par les troupes françaises en 1837

La colonisation du continent

Les puissances européennes considèrent que l'Afrique leur revient et s'emparent donc de presque tout son territoire en soumettant ou en éliminant ses habitants.

Pourquoi coloniser l'Afrique ?

L'expansion coloniale s'explique par des facteurs d'ordre « moral » (idéal humaniste de civiliser les « peuples inférieurs », motifs humanitaires de lutte contre l'esclavage, évangélisation, curiosité scientifique), d'ordre politique (motivations nationalistes expansionnistes, compensation des territoires perdus aux Amériques) et d'ordre économique (recherche de profits et de débouchés extérieurs, besoin de matières premières et d'esclaves, défense des entreprises nationales sur des espaces protégés).

Les facettes de la colonisation

Durant les deux premiers tiers du XIXᵉ siècle, explorations et conquêtes du territoire africain s'accompagnent de guerres violentes et longues. Les royaumes ou les États structurés résistent, se rebellent, certains peuples se soumettent, d'autres sont en partie anéantis, comme les Hereros de Namibie exterminés aux trois quarts.

Le système colonial met en place une administration, s'approprie les terres, évangélise et exploite les populations locales par le travail forcé. Cette « économie de rente » utilise les colonies comme des réservoirs de produits agricoles destinés à l'Europe (cacao, café, huile de palme, céréales, coton). Les populations sont réduites à des tâches subalternes et, dans les colonies françaises, cantonnées au statut inférieur de l'indigénat. Plus pragmatique, l'approche britannique, l'*indirect rule*, consiste à mettre les autorités locales sous tutelle tout en les laissant continuer de gouverner.

Une empreinte coloniale indélébile

La colonisation désorganise et fragilise les sociétés africaines à plusieurs niveaux. D'abord, le prestige du pouvoir politique traditionnel a été entamé par la promotion de nouveaux responsables, souvent roturiers ou anciens esclaves libérés, jugés illégitimes par les populations. Ensuite, les sociétés africaines se sont coupées de leurs élites car les cadres nouvellement formés dans les écoles l'étaient pour administrer la colonisation et faire fructifier les valeurs occidentales. D'autre part, la spécialisation agricole a paupérisé le milieu rural et a sans doute été un frein à la révolution industrielle. Enfin, la discrimination culturelle et l'état de soumission des populations ont créé un fort complexe d'infériorité et de dépendance du colonisé vis-à-vis du colonisateur.

L'ethnicisation des conflits

Le tracé colonial des frontières divise certes des groupes ethniques homogènes, mais réunit aussi au sein de nouveaux pays des groupes de culture politique très différente. De plus, par sa volonté de hiérarchiser les groupes sociaux, le colonisateur transforme des divisions temporaires en conflits durables, et renforce les stéréotypes. Il s'agit souvent de classifier ces groupes sur des échelles de « valeur », par exemple entre avancé/ retardé, travailleur/paresseux, pacifique/belliqueux. Bref, les Européens vont renforcer l'ethnicisation des conflits.

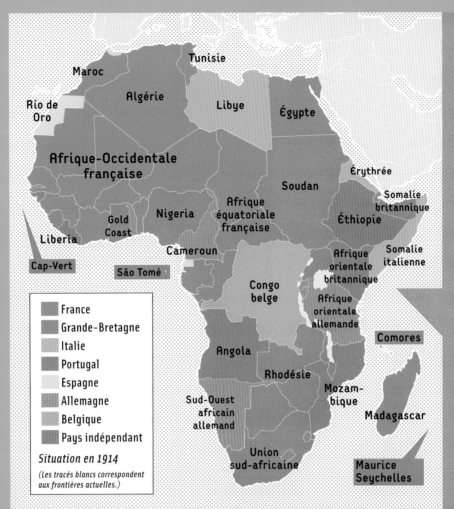

France
Grande-Bretagne
Italie
Portugal
Espagne
Allemagne
Belgique
Pays indépendant

Situation en 1914
(Les tracés blancs correspondent aux frontières actuelles.)

Le partage du « gâteau africain »

Depuis le XVe siècle, les Européens créent des comptoirs sur les côtes mais font très peu d'incursions à l'intérieur des terres du continent. En 1884 à Berlin, pour éviter que la course aux matières premières ne les conduise à la guerre, les grandes puissances tiennent une conférence de partage du territoire africain. L'Angleterre et la France se taillent la part du lion et les limites des pays sont fixées selon des critères parfois absurdes : d'après parallèles et méridiens, selon les frontières naturelles (cours d'eau, relief), en fonction des caprices des uns et des autres. Des populations entières sont scindées en deux, base de futurs problèmes politiques.

Le Français Pierre Savorgnan de Brazza (1852-1905), explorateur du fleuve Congo, avec deux marins

Le massacre du camp de Thiaroye

Les bataillons de tirailleurs, des Africains recrutés pour servir dans l'armée française, sont toujours les premiers envoyés sur le front. Le bilan est très lourd : 81 000 morts pendant la Première Guerre mondiale, 35 000 pendant la Seconde. Au Sénégal en 1944, un bataillon de tirailleurs sénégalais arrive au camp de transit de Thiaroye, dans les faubourgs de Dakar, fiers d'avoir combattu les nazis en Europe. Mais n'ayant pas reçu leur solde, devant les promesses non tenues, l'humiliation, le racisme de la hiérarchie militaire, les soldats exaspérés s'emparent d'un général et réclament leur dû. L'officier envoie ses chars contre le camp, l'opération se transforme en massacre et fait plusieurs dizaines de morts.

Début XIXe siècle Phase d'explorations et de conquêtes, la colonisation directe se limite à quelques comptoirs.

Années 1870 Début de la conquête coloniale

Novembre 1884 -février 1885 Conférence de Berlin où les grandes puissances européennes se partagent l'Afrique.

1898 La crise de Fachoda symbolise la concurrence coloniale franco-anglaise.

1904 Apogée de l'Afrique-Occidentale française (AOF) comme modèle d'administration directe centralisée

1911 Les fondements juridiques et pratiques de l'apartheid sont posés en Afrique du Sud.

1914-1918 L'Allemagne perd ses colonies.

1946 Début du processus de décolonisation définitivement achevé en 1990 avec l'indépendance de la Namibie

De gauche à droite : Jomo Kenyatta (Kenya), Samora Moisés Machel (Mozambique), Khama III (Botswana), Julius Nyerere (Tanzanie), Kwame Nkrumah (Ghana)

Le temps des indépendances

Idéologues partisans de la réduction de l'aide occidentale, ou réalistes coopérants avec l'ancienne puissance coloniale, les nouveaux dirigeants africains cherchent leur modèle politique.

La lutte pour l'indépendance

Les indépendances sont pour la plupart octroyées sans traverser de guerres car le contexte international évolue vers la reconnaissance du tiers-monde (Conférence de Bandoeng, mouvement des pays non alignés), et les colonies commencent à devenir un fardeau : le calcul coûts/bénéfices n'est plus à l'avantage du colonisateur. De son côté, la naissance d'une élite syndicale et politique noire structure les mouvements de libération nationale et contribue à la lutte pour l'indépendance dans la légalité et par une mobilisation pacifique des populations. Dans certains pays, des révoltes sont réprimées dans le sang (Madagascar, Cameroun) et des soulèvements se transforment en guerre de libération coloniale (Algérie, Angola, Mozambique).

Un énorme chantier : le développement

Construire de toutes pièces un État national relève du défi pour les nouveaux dirigeants africains : choix des institutions, partage de l'exécutif entre État central et régions, place de la religion ou de la laïcité, gestion des tensions ethniques. Pour tenir les rênes du pouvoir, la plupart adoptent un régime de parti unique, et promeuvent un État planificateur. Au cours de la première décennie, qu'ils appliquent des théories marxistes ou sociales-démocrates, les jeunes États africains obtiennent d'assez bons résultats et améliorent leurs indicateurs sociaux (espérance de vie, taux de scolarisation).

Indépendance réelle ou formelle ?

Après les indépendances officielles et l'élection d'un nouveau président, les nouveaux États africains n'en restent pas moins étroitement encadrés par leur ancienne métropole. Cette présence reste forte en matière institutionnelle, militaire et, du fait du maintien des grandes entreprises européennes, les leviers de l'économie continuent d'échapper aux dirigeants africains. Si les pays anglophones sont, dès le départ, plus autonomes à l'égard de leur ancien colonisateur, les pays francophones se voient imposer une « assistance technique » en échange de nombreux avantages. On peut ainsi parler de lien néocolonial pendant au moins les trente premières années d'indépendance.

Années 1960 : nouvelles influences

Les indépendances à peine proclamées, l'URSS et les États-Unis font déjà leur apparition sur l'échiquier africain : la première pour des raisons géostratégiques mais aussi pour garantir des accords de pêche avec des pays côtiers de façon à combler le fort déficit en protéines de sa population ; les États-Unis eux s'approprient petit à petit le capital de sociétés multinationales britanniques et investissent dans les hydrocarbures et les minerais. Les différends idéologiques ou ethniques, qui se transforment souvent en coups d'État militaires, ne perturbent en rien les intérêts financiers internationaux.

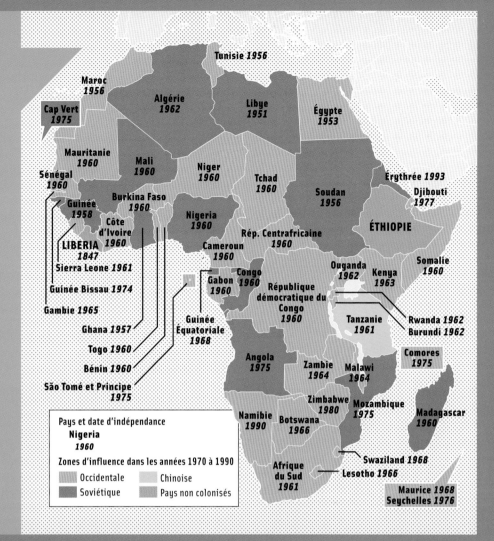

Pays et date d'indépendance
Nigeria 1960

Zones d'influence dans les années 1970 à 1990
- Occidentale
- Soviétique
- Chinoise
- Pays non colonisés

Le modèle tanzanien, une expérience originale

En Tanzanie, le président Julius Nyerere met en place un « socialisme à l'africaine », une filiation avec les systèmes communautaires traditionnels précoloniaux, où il s'agit de bâtir une société fondée sur l'égalité, l'aide mutuelle, et l'autosuffisance en réduisant l'aide internationale. Sa politique agricole collectivise les terres, déplace des millions de ruraux vers des terres en friche, regroupe les paysans en villages organisés appelés « familles ». Le pays se forge une identité nationale, fait de grands progrès en matière d'éducation et de soins, mais son essor agricole n'est pas au rendez-vous.

Nationalisme africain et rêve panafricaniste

Projets de réunification la plupart du temps avortés (Somalie), tentatives d'union régionale le plus souvent vouées à l'échec (fédération du Mali), les indépendances s'accompagnent de rêves politiques dont le plus ambitieux est le message panafricaniste. En 1957, la toute première indépendance subsaharienne du Ghana soulève enthousiasme et espoir du fait des idées panafricaines de son héros charismatique Kwame Nkrumah. Il prône très tôt la création d'une entité supranationale, les États-Unis d'Afrique, qui ne voit pas le jour, mais inspire la création de l'Organisation de l'Union africaine (1963).

En juin 1960 à Dakar (Sénégal), la population se réjouit de la proclamation de l'indépendance de la Fédération du Mali, à l'époque composé du Sénégal et de l'ancien Soudan français.

1847 — Liberia, premier pays à accéder à l'indépendance

1951 — Libye, première indépendance du XXᵉ siècle

1954 — Début de la guerre d'Algérie, indépendante en 1962

1958 — Ahmed Sékou Touré refuse la proposition d'autonomie du président français, la Guinée devient indépendante.

1960 — Accession à l'indépendance de dix-sept nouveaux États en majorité ex-colonies françaises

1960-68 — Accession à l'indépendance des ex-colonies britanniques

1974-75 — Accession à l'indépendance des ex-colonies portugaises

1994 — Véritable indépendance de l'Afrique du Sud, rupture avec la domination raciale blanche

L'Afrique du Nord

Les pays du Maghreb se caractérisent par de forts points communs : une zone de désert avec le Sahara, plus vaste ensemble désertique d'un seul tenant au monde, une unité religieuse à composante essentiellement sunnite (plus de 90 % de la population), des minorités berbères très présentes, et une pratique de la langue arabe moyenne (à mi-chemin entre arabe classique et arabe dialectal) par la moitié des Maghrébins. La conquête arabe du VIIe au XIe siècle islamise toute la façade méditerranéenne et les Turcs ottomans dominent la région du XIVe au XIXe siècle. Aujourd'hui, après les révolutions du Printemps arabe de 2011, qui voient la chute de plusieurs dictateurs historiques, mais l'arrivée des islamistes au pouvoir accompagnée de revirements sécuritaires, les espoirs démocratiques semblent bien loin. Les regards sont plutôt tournés vers l'Europe et ses partenariats économiques que vers l'Afrique subsaharienne. Et les flux internationaux de travail vers l'Europe, légaux comme clandestins, risquent d'augmenter dans les années à venir, notamment parce que de plus en plus de jeunes arrivent sur le marché du travail.

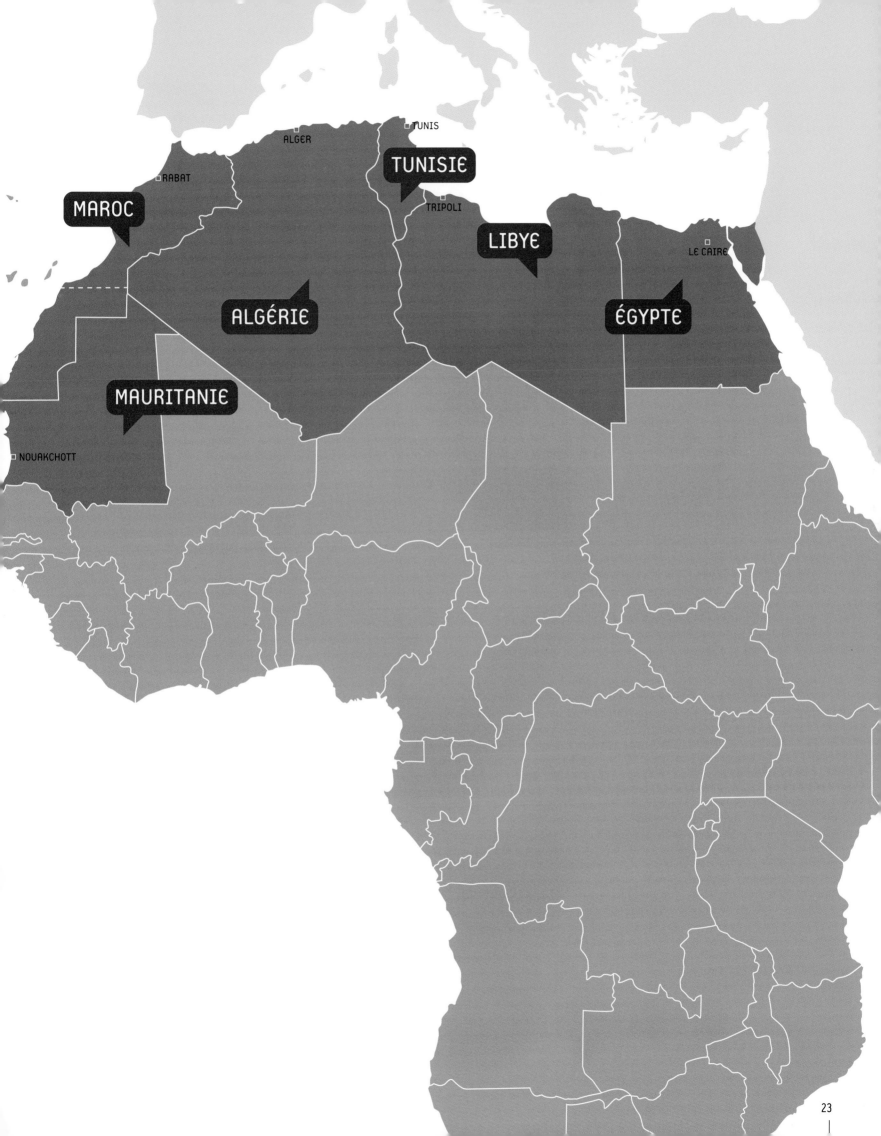

MAROC

TUNISIE

LIBYE

ALGÉRIE

ÉGYPTE

MAURITANIE

ALGER

TUNIS

RABAT

TRIPOLI

LE CAIRE

NOUAKCHOTT

23

Le Maroc

L'extrême Occident

Pays du désert et de l'océan, ouvert sur l'Atlantique et la Méditerranée, le Maroc est, depuis l'Antiquité, un point de passage des caravanes circulant entre l'Afrique noire et le nord du continent. Une fois devenus musulmans, les Berbères ont conquis l'Espagne, islamisé une bonne part de l'Afrique de l'Ouest et contribué au commerce sur tout le continent. C'est l'exportation vers l'Europe de sa « maroquinerie », les cuirs travaillés à Marrakech, qui donne son nom au pays. Aujourd'hui, terre de tourisme (9,3 millions par an), le Maroc connaît un souffle plus démocratique que sous le règne de Hassan II où toute opposition était durement réprimée. Les défis qui attendent le pays sont d'ordre écologique avec la déforestation, la rareté de l'eau et les ravages de la sécheresse, et d'ordre social comme en témoignent les bidonvilles des grandes villes qui alimentent le terreau de l'islamisme.

La dynamique des grands chantiers

Depuis quelques années, le pays s'est lancé dans une politique de grands chantiers : autoroute, extension d'aéroports, ligne TGV… Ouvert en 2007, le complexe portuaire de Tanger-Med ambitionne de devenir l'un des dix plus grands ports du monde d'ici à 2015. Il pourra alors accueillir 8 millions de conteneurs, 7 millions de passagers, 2,7 millions de véhicules et 10 millions de tonnes d'hydrocarbures.

Des femmes plus libres

Depuis 2004, la réforme du code de la famille (*Moudawana*), même si elle n'établit pas l'égalité juridique entre hommes et femmes, représente une rupture réelle et symbolique très forte pour la situation des femmes. Les Marocaines obtiennent la majorité civile, ont la liberté de choix dans le mariage, doivent donner leur consentement au choix d'une autre épouse (polygamie), et peuvent demander le divorce. La répudiation est maintenue mais strictement encadrée. L'inégalité devant l'héritage subsiste, les femmes continuent à ne toucher que la moitié des parts des hommes.

Le henné protège du mauvais œil
Esthétique, la pose du henné sur les paumes des mains et la plante des pieds des femmes est aussi chargée du pouvoir de repousser les mauvais génies.

Le Far West de l'islam

Montagne désertique de l'Anti-Atlas, cédraies enneigées du Moyen Atlas ou vallées sahariennes du Haut Atlas, les massifs à l'est s'opposent aux plaines de l'Ouest mais recèlent des merveilles : route des ksour dans la vallée du Dadès, oasis de la vallée du Draa avec sa large variété d'arbres (amandiers, figuiers, tamaris). Les grandes villes offrent leurs médinas, comme celle unique de Fès, et leurs édifices, avec la Grande Mosquée Hassan II de Casablanca.

Chantier du complexe portuaire de Tanger-Med

Fès, ville impériale dont la médina est classée au patrimoine mondial de l'humanité, souk des tanneurs

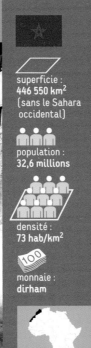

superficie :
446 550 km²
(sans le Sahara occidental)

population :
32,6 millions

densité :
73 hab/km²

monnaie :
dirham

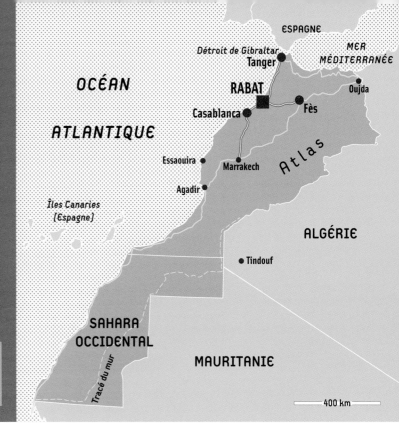

ESPAGNE
MER MÉDITERRANÉE
Détroit de Gibraltar
Tanger
OCÉAN
RABAT
Oujda
Casablanca
Fès
ATLANTIQUE
Atlas
Essaouira
Marrakech
Agadir
Îles Canaries
(Espagne)
ALGÉRIE
Tindouf
SAHARA
OCCIDENTAL
MAURITANIE
Tracé du mur
400 km

Enfants sahraouis portant le drapeau du Polisario dans un camp de réfugiés près de la frontière algérienne

Les Sahraouis sans territoire

Zone de 266 000 km² riche en phosphate et en poissons, le Sahara occidental, colonie espagnole jusqu'en 1975, est alors annexé par Hassan II lors de la Marche verte, où plus de 300 000 Marocains y pénètrent à pied. S'ensuit une guerre de quatorze ans entre l'armée marocaine et le Front Polisario qui réclame l'indépendance du Sahara occidental. Actuellement protégé par un mur de 2 720 km, le territoire est toujours revendiqué par le Front Polisario, basé à Tindouf en territoire algérien, ainsi que par 165 000 Sahraouis installés dans des camps de réfugiés. L'Onu n'a toujours pas organisé le référendum d'autodétermination prévu.

Ibn Battuta (1304-1369)

Né à Tanger, cet infatigable voyageur a parcouru 120 000 km en vingt-huit ans. Surnommé le « Marco Polo de l'islam » dont il est le contemporain, il se rend à Tombouctou et au Soudan et livre le premier témoignage sur l'Afrique subsaharienne. Il traverse les déserts, l'océan Indien, va jusqu'en Russie et en Extrême-Orient puis revient à Tanger où il meurt.

La modernisation de la dynastie alaouite

À partir de 1660 s'installe la dynastie alaouite qui pacifie et réunifie le pays, l'ouvre aux relations internationales, fonde Mogador (Essaouira) et modernise le royaume dès la fin du XIXe siècle. Après l'épisode de quarante-quatre ans du protectorat français, les rois alaouites reviennent au pouvoir avec Mohammed V, Hassan II puis aujourd'hui Mohammed VI. Partisan d'un islam modéré et tolérant, ce dernier a favorisé la promotion d'une cinquantaine de jeunes femmes, *morchidates*, c'est-à-dire animatrices dans les mosquées : une expérience unique dans le monde musulman.

800-600 av. J.-C. — Entrée dans l'Histoire avec l'apparition de l'écriture libyque des Berbères

682 — Début de la conquête arabe et de l'islamisation

L'impact de la culture andalouse (à partir du XIe siècle) La dynastie berbère almoravide unifie politiquement le pays et introduit la civilisation andalouse au Maghreb durant sept siècles.
Les réfugiés andalous, juifs et musulmans, chassés par la monarchie catholique espagnole au XVe siècle, régénèrent l'agriculture et le commerce, et apportent un savoir-vivre citadin mêlant culture de l'« honnête » homme et savoir-faire politique.

1912 — Signature contrainte du traité de protectorat avec la France

1956 — France et Espagne reconnaissent l'indépendance du pays.

1975 — Annexion du Sahara occidental par la Marche verte

1999 — Mohammed VI monte sur le trône, toujours au pouvoir.

Les travers du tourisme

Certaines manifestations traditionnelles sont aujourd'hui retransmises par les télévisions internationales sans tenir compte des chocs culturels. Les spectacles sont alors moins spontanés, la logistique prend le pas sur le sens des cérémonies, dans le but d'attirer plus de touristes. C'est le cas du *moussem* d'Imilchil (localité du Haut Atlas), une fête ancestrale célébrant les fiançailles des jeunes des villages alentour. Alors que le gouvernement avait voulu en faire le lieu de la renaissance du terroir !

L'Algérie

Un esprit de résistance

Deuxième plus grand pays du continent, l'Algérie fait face à la mer Méditerranée au nord et est bordée par le Sahara au sud. Ces descendants des Berbères, premiers habitants du pays, connaissent de nombreuses invasions, des Romains aux Ottomans. Mais l'Algérie de Ferhat Abbas (premier homme politique à revendiquer l'égalité entre musulmans et Européens) et d'Ahmed Ben Bella (premier président de l'indépendance) a, tout au long de son histoire, développé un fort esprit de résistance : ainsi la Kabylie, région montagneuse à l'est d'Alger, traditionnellement rebelle, exprime-t-elle souvent des revendications culturelles ou identitaires. Les deux atouts majeurs du pays, la manne des hydrocarbures et les 75 % de la population de moins de trente ans, résument ses fragilités : la trop grande place du pétrole et du gaz dans l'économie rend l'Algérie dépendante des cours, et le chômage des jeunes reste à maîtriser.

Langue berbère et langue arabe

Avec la conquête arabe du VIIe siècle, les Berbères deviennent musulmans et s'arabisent, en partie. La langue berbère originelle, pratiquée par toute la population de l'Afrique du Nord dans l'Antiquité, cède peu à peu la place à l'arabe, langue de la révélation du Coran. Il y a aujourd'hui une majorité d'arabophones en Algérie, et 35 % de locuteurs de berbère (tamazight) dont le kabyle est une variété. Le tamazight est reconnu comme langue nationale en 2002.

En mai 2011, les étudiants d'Alger manifestent sans faire tomber le pouvoir.

La casbah d'Alger

Dans un grand Alger qui compte 6,5 millions d'habitants, la casbah fait figure de petit îlot urbain avec ses six cents maisons. Construite sur un relief pentu, elle se compose d'un réseau serré de ruelles et d'impasses étroites et tortueuses, coupées par de nombreux escaliers. Toutes peintes en blanc, les constructions coloniales se mêlent aux palais ottomans et aux mosquées. Il est aujourd'hui urgent de poursuivre la restauration de la casbah, classée au patrimoine mondial de l'humanité, car de nombreux bâtiments menacent de s'effondrer.

La manne des hydrocarbures

À eux seuls, pétrole et gaz représentent la moitié du produit intérieur brut et la grande majorité des exportations du pays. Les recettes sont donc énormes, mais l'économie est suspendue aux cours du baril de pétrole. Si 30 000 Chinois travaillent pour construire les grands projets d'infrastructures, la population ne voit pas les fruits des revenus des hydrocarbures, et reste confrontée à une baisse du pouvoir d'achat, à une crise du logement et à un fort taux de chômage.

Raffinerie de Hassi-Messaoud au centre de l'Algérie

Vue de la casbah d'Alger

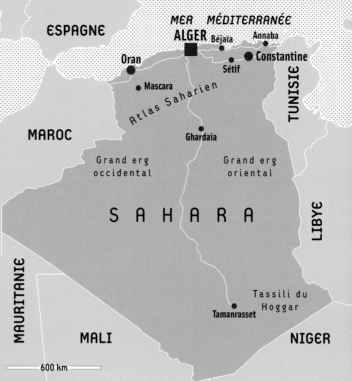

ESPAGNE

MER MÉDITERRANÉE
ALGER Béjaïa Annaba
Oran Constantine
Sétif

MAROC

Mascara

TUNISIE

Atlas Saharien

Ghardaïa

Grand erg
occidental

Grand erg
oriental

MAURITANIE

S A H A R A

LIBYE

Tassili du
Hoggar

Tamanrasset

MALI NIGER

600 km

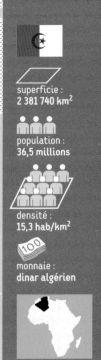

superficie :
2 381 740 km²

population :
36,5 millions

densité :
15,3 hab/km²

monnaie :
dinar algérien

814 av. J.-C. Fondation de Carthage qui va gouverner le territoire

VIIᵉ siècle Début de l'islamisation

1830 Début de la colonisation française

1945 Massacres de Sétif

1954 Début de la guerre d'Algérie

Guerre civile et violence

De 1992 à 2001, le pays traverse une décennie sanglante faisant plus de 100 000 morts et des milliers de disparus. Suite à l'annulation d'élections qu'ils étaient en passe de remporter, les mouvements islamistes représentés par le Groupe islamiste armé et le Groupe salafiste pour la prédication et le combat mènent une lutte pour le pouvoir par de nombreux attentats. Les forces de sécurité sont à leur tour accusées par des ONG de défense des droits de l'homme d'être responsables de la disparition de plus de 18 000 citoyens. La politique de « réconciliation nationale » du président Bouteflika a permis de réduire fortement les violences, mais elle n'a pas mis de terme à la guerre.

1999 Présidence d'Abdelaziz Bouteflika, toujours au pouvoir

Indépendance de l'Algérie (5 juillet 1962)
Après 132 ans de colonisation française et la signature des accords d'Évian en mars, le pays est indépendant le 5 juillet. Ce jour-là, dans la capitale, le drapeau algérien flotte sur le balcon de la préfecture où s'installe ensuite le gouvernement provisoire de la République algérienne. Au même moment à Oran, une chasse aux Européens fait trois cent soixante-cinq morts en trois jours.

Brutalité de la colonisation française

Dès 1830, la colonisation française se fait de manière brutale : razzia sur les terres et les ressources, déplacement de deux millions de paysans, captures de femmes et d'enfants comme otages, enfumage d'habitants dans des grottes. À partir de 1954 jusqu'à l'indépendance en 1962, la guerre de libération présente une nouvelle escalade dans l'horreur avec, entre autres, l'utilisation du napalm par les troupes françaises, et fait 400 000 morts côté algérien et 32 000 côté français. L'armée française a reconnu, seulement en 2000, l'usage « généralisé et institutionnalisé » de la torture pendant la guerre.

Une littérature engagée

Parmi les figures les plus importantes de la littérature algérienne, on peut citer Yacine Kateb, écrivain engagé qui considère la langue française comme le « butin de guerre » des Algériens ; Assia Djebar, membre de l'Académie française, qui écrit contre la « régression et la misogynie » ; Leïla Sebbar qui réfléchit à l'apprentissage de l'exil ; et Yasmina Khadra, ancien officier supérieur de l'armée algérienne, qui critique la culture de la violence.

Abd el-Kader (1808-1883)

Né à Mascara d'une famille noble soufie, il a une enfance de fils de chef : apprentissage du cheval et des armes. Après son pèlerinage à La Mecque, il reçoit les enseignements de grands mystiques de Damas et de Bagdad. Guerrier, mais aussi saint et fin lettré, il se sent investi d'une mission : chasser l'oppresseur chrétien. L'émir tient tête au colonisateur de 1830 à 1847 en organisant les territoires de l'Oranie et de l'Algérois. Il est le fondateur du premier État théocratique et de la première armée algérienne de l'époque contemporaine.

Janvier 2012, premier anniversaire de la chute du président Ben Ali

La Tunisie

Un pays moderne, laïc et musulman

Des stations balnéaires du Cap Bon jusqu'aux vestiges de la cité romaine de Dougga, la Tunisie reste un haut lieu du tourisme mondial. Mais le pays est également remarquable par la rapidité avec laquelle il s'est modernisé. C'est ici, en 1861, qu'est promulguée la première constitution du monde arabe, appelée *destour*. Habib Bourguiba, le père de l'indépendance, a œuvré pour bâtir un pays laïc dans un contexte culturel musulman dès les années 1950. Aujourd'hui, le pays incarne encore une réelle modernité, notamment sur le plan éducatif avec des taux de scolarisation et d'alphabétisation très élevés. La Tunisie a donné naissance au Printemps arabe de 2011, mais elle traverse aujourd'hui une crise politique avec des islamistes au pouvoir qui peinent à faire consensus.

Au hammam

Le soin comprend un séjour dans une pièce remplie de vapeur, une friction pour retirer les cellules mortes de la peau, suivie d'un massage tonique.

Métro de Tunis

Les tapis de Kairouan

Située à une centaine de kilomètres au sud de Tunis, Kairouan est la capitale du tapis tunisien. Cinq siècles avant Jésus-Christ, les poètes grecs vantaient déjà les qualités des tapis de la région, mais la technique des tapis noués, encore utilisée de nos jours, est introduite par les Turcs. Il existe plusieurs sortes de tapis noués ou tissés dont le plus connu est le kilim, qui reprend des motifs traditionnels berbères.

Carthage, la prospère

De nos jours située au nord de Tunis, la ville de Carthage est fondée par la reine Didon. Lors de la seconde guerre punique au IIIe siècle av. J.-C., le général carthaginois Hannibal Barca manque de peu d'écraser le jeune Empire romain. Les Romains, les Arabes, les Turcs et les Français vont ensuite coloniser le pays.

En 1954, c'est le Français Pierre Mendès-France qui évoque pour la première fois des négociations en vue de l'autonomie de la Tunisie, qui devient indépendante deux ans plus tard.

Fondatrice du Printemps arabe

Après un régime autoritaire de vingt-cinq ans, le dictateur Zine el-Abidine Ben Ali est destitué en 2011 par le peuple tunisien qui descend dans la rue et fait sa Révolution du jasmin. Trois ans après, les engagements pris par les islamistes d'Ennahda, élus démocratiquement, ne sont toujours pas tenus. Le pays est privé d'institutions pérennes et de calendrier électoral.

Carthage, vestiges sur la colline de Byrsa

superficie :
163 610 km²

population :
10,7 millions

densité :
65,3 hab/km²

monnaie :
dinar tunisien

Femmes, musulmanes et émancipées

Dès 1956, le président Bourguiba met en place le Code du statut personnel qui proscrit polygamie et divorce par répudiation, et limite les mariages arrangés en fixant l'âge minimal du mariage des filles à 17 ans tout en leur donnant le droit de le refuser. Le président interdit le port du *hidjab* (voile) à l'école et ferme les écoles coraniques. Il donne le droit à la contraception en légalisant la pilule en 1961, et le droit à l'avortement dont la dépénalisation date de 1973. Le pays se dote d'un planning familial modèle qui permet aux femmes de choisir librement leur maternité.

Le collège Sadiki

Fondé en 1875 à Tunis, il est le premier établissement secondaire moderne du pays dont l'originalité est d'offrir un enseignement en arabe et en français, des cours de sciences, tout en continuant l'étude du Coran. Dans les années 1900, les autorités coloniales redoutent que cette ouverture intellectuelle ne favorise la naissance d'idées nationalistes hostiles à la France. Et en effet, une grande majorité des anciens élèves participeront à la résistance à l'occupation française, puis aux réformes de la Tunisie indépendante.

814 av. J.-C.	Fondation de Carthage par les Phéniciens
112-105 av. J.-C.	Le berbère Jugurtha résiste aux Romains.

Le pays devient province ottomane (à la fin du XVIᵉ siècle) La Tunisie reste sous influence turque durant près de trois siècles. Les gouverneurs, appelés beys, consolident la modernisation de l'État et de l'économie, abolissent l'esclavage en 1846, se rangent sous l'influence culturelle de l'Europe mais voient, de plus en plus, leurs choix politiques contraints par des puissances comme la Grande-Bretagne, l'Italie ou la France.

1881	Protectorat français
1956	Indépendance
1957-1987	Présidence de Habib Bourguiba
2013	Au pouvoir depuis 2011, le parti islamiste Ennahda quitte le gouvernement.

Des indicateurs économiques à l'orange

Près de 80 % des habitants sont propriétaires de leur logement. Mais les secteurs longtemps florissants comme l'agriculture, l'industrie textile, les centres d'appels et le tourisme connaissent un net ralentissement depuis la Révolution du jasmin. Le pays perd clients et touristes du fait de la mauvaise image renvoyée par les troubles de la rue.

Ibn Khaldun (1332-1406)

Né à Tunis, magistrat et diplomate, Ibn Khaldun fut également un historien d'avant-garde insistant sur la vérification des sources et posant les bases d'une approche sociologique moderne. La publication de son livre *Muqaddimma (Prolégomènes à l'histoire universelle)* le fait considérer comme le premier et le plus grand historien et sociologue musulman.

La Libye

Militante du panafricanisme

Par sa position sur les grandes voies méridiennes du Sahara, le pays a toujours mis en relation monde méditerranéen et monde noir ; au point que sa population berbère organise très tôt un commerce d'esclaves noirs. La Libye connaît l'influence de Carthage, des Grecs, des Romains, des Arabes, des Ottomans, puis subit, au XXᵉ siècle, la brutalité de la colonisation italienne, surtout à partir du régime de Mussolini, qui fait 100 000 victimes. Après l'indépendance, le colonel Kadhafi reprend, d'une main de fer, les destinées du pays et prône l'unité africaine. L'exploitation du pétrole, à partir de 1961, permet à l'économie de sortir de ses anciennes traditions agricoles. Aujourd'hui, le pays n'exporte plus que 50 % de ses capacités et le pétrole risque d'échapper au contrôle de l'État.

Force de l'héritage tribal

Les quatre siècles de domination ottomane (1551-1911), et les trente ans de colonisation italienne n'ont fait que renforcer le tribalisme, c'est-à-dire l'organisation de la société en différentes tribus. Après l'indépendance, ce système perdure au sein de l'appareil d'État : la tribu au pouvoir ayant tendance à placer ses représentants aux postes clés de l'administration pour mieux s'assurer le contrôle du pays.

L'alcool interdit

Même un non-musulman surpris ivre dans un lieu public peut être condamné à une peine de prison, à une amende et ensuite à une mesure d'expulsion.

La cité antique de Ghadamès

Fondée il y a huit cents ans au cœur du désert, Ghadamès est organisée en cercles imbriqués. Au centre, le premier cercle abrite habitats et commerces. Le deuxième cercle laisse la place à des jardins, au-delà s'élèvent les murs d'enceinte. La ville compte sept rues principales qui s'enfoncent vers le cœur de la cité, chacune étant une « ville » avec son autonomie (maisons, écoles, marchés) et sa propre porte fermée, tous les soirs, dès le coucher du soleil. Ses passages couverts, véritable labyrinthe, protègent de la chaleur.

L'arabisation de la vie publique

Dès le début du régime de Kadhafi, l'administration, l'éducation et la culture sont intégralement arabisées, comme pour effacer toutes traces de la colonisation italienne et de la présence occidentale. Tous les panneaux de signalisation, toutes les plaques des rues et les enseignes des magasins doivent être rédigés en arabe. En 1973, cette politique d'arabisation va même plus loin avec un décret qui impose que les passeports des étrangers souhaitant se rendre en Libye contiennent toute information personnelle en langue arabe.

Toits et terrasses de la cité antique de Ghadamès

Libyens célébrant l'ouverture
d'un tronçon de la Grande Rivière
artificielle

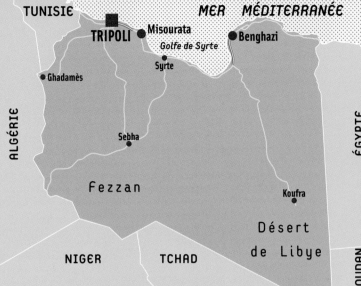

superficie : 1 759 540 km²	population : 6,5 millions	densité : 3,6 hab/km²	monnaie : dinar libyen

TUNISIE   MER MÉDITERRANÉE

ALGÉRIE

TRIPOLI · Misourata · Benghazi

Golfe de Syrte

· Syrte

· Ghadamès

ÉGYPTE

· Sebha

Fezzan

· Koufra

Désert
de Libye

SOUDAN

NIGER   TCHAD

Un patrimoine riche depuis l'Antiquité

Le patrimoine libyen garde les traces des domina-
tions successives. Pour l'époque hellénistique, les
reliefs de marbre et le temple de Zeus de Cyrène ;
pour la période romaine, l'arc de Leptis Magna, les
mausolées et les somptueuses villas à Ghirza et
dans la vallée du Wadi Mardoum ; pour la période
arabe, la médina de Tripoli, et, pour l'époque ottomane, la maison des Karamanli.

Préparation
du thé lors
d'un bivouac,
désert du Fezzan

Muammar al-Kadhafi [1942-2011]

Né dans la région de Syrte, il souhaite réduire
l'influence occidentale dans le monde, et
faire progresser l'unité africaine. Il ne néglige
aucune politique, depuis les investissements
financiers chez de nombreux voisins,
jusqu'aux exportations d'armes et au
soutien aux guérillas du tiers-monde. Il est
exécuté par les révolutionnaires en 2011.

900 av. J.-C.	L'Empire garamante contrôle le sud du pays et invente des techniques de captage d'eau souterraine.
712	Domination arabe et musulmane du calife omeyyade de Damas
1551-1911	Domination ottomane
1912	Colonisation italienne
1951	Indépendance
1969	Coup d'État de Muammar al-Kadhafi, au pouvoir durant 42 ans

Un des plus grands chantiers du monde

Le pays désertique au climat semi-aride a mis en place la Grande
Rivière artificielle, plus important chantier de génie civil du monde. Ce
système de pompage des nappes souterraines achemine l'eau douce
du désert vers les côtes où se rassemblent la plupart des habitants
des villes et où se concentre l'agriculture des plaines maritimes. Plus
de 480 puits vont chercher l'eau
à 600 m de profondeur, qui est
ensuite acheminée par un aque-
duc de 4 m de diamètre.

Plaque tournante du trafic de migrants

Ayant besoin de main-d'œuvre étrangère du fait de la faiblesse de
sa population active, la Libye accueille plus de 1,5 million d'Africains
subsahariens, 800 000 Égyptiens, 80 000 Tunisiens. Mais, selon le
taux de chômage et les politiques qui privilégient
l'emploi des nationaux, la Libye pratique souvent
des expulsions massives : 200 000 étrangers en
1995. Plus de 2 millions de personnes de différentes nationalités africaines en situation irrégulière
attendent en Libye l'opportunité pour passer de
l'autre côté de la Méditerranée.

Un chaos politique [2011] Le Printemps arabe
libyen prend la forme d'une guerre civile de huit
mois qui obtient la chute du colonel Kadhafi.
Aujourd'hui, les autorités libyennes doivent
reconstruire un État démocratique à partir de
rien, car l'ancien dictateur avait concentré tous
les pouvoirs. En 2012, émeutes, assassinats
politiques, évasions de détenus, attentats à la
voiture piégée et circulation d'armes renforcent
l'absence de légitimité de l'État.

L'Égypte

Arabe plus qu'africaine

Pays désertique, l'Égypte a vécu au rythme des crues du Nil, qui, bien que parfois dévastatrices, fertilisaient le sol, jusqu'à l'ouverture du haut barrage d'Assouan en 1971. L'histoire de ce peuple inventif a toujours été liée à l'habile utilisation de ses ressources naturelles. Le Nil nourrissait les Égyptiens d'hier, et la population du plus peuplé des pays arabes se rassemble aujourd'hui le long de son lit, soit sur seulement 5 % du territoire. Le pays abrite également le canal de Suez qui relie la Méditerranée à la mer Rouge. Sa nationalisation en 1956 par le président Gamal Abdel Nasser pour s'assurer la maîtrise de ce point de passage stratégique deviendra un symbole de fierté face à l'Occident. L'Égypte qui a connu une des plus brillantes civilisations de l'Antiquité conserve un rayonnement culturel particulier dans tout le monde arabe avec son cinéma, sa littérature et sa musique.

Le Caire, première mégapole d'Afrique

Avec ses 20 millions d'habitants, la capitale est surpeuplée. La « Cité des morts », ces nécropoles de l'époque médiévale intégrées dans la ville, continue à faire office de zone d'habitation pour plus de 300 000 personnes. La mosquée et l'université d'al-Azhar sont considérées depuis le XIIIᵉ siècle comme le cœur du monde musulman sunnite : son cheikh délivre des avis *(fatwa)* sur la religion et la vie quotidienne dont l'influence peut dépasser les frontières égyptiennes.

Les sources du Nil

Long de 6 718 km, le Nil a trois affluents : le Nil Blanc dont les sources viennent du Rwanda, le Nil Bleu et l'Atbara dont les sources se situent en Éthiopie.

Barrage d'Assouan

Le Caire : place Ramsès

Une civilisation millénaire

La force de l'histoire égyptienne antique est sans doute d'avoir créé une civilisation presque inchangée pendant plus de 3 000 ans. Avec l'invention des hiéroglyphes, premier système d'écriture, et l'utilisation du papyrus, l'édification de temples et de pyramides, le développement de la médecine et de la pharmacopée, les inventions techniques et les rites funéraires, le pays a largement contribué à la civilisation universelle en influençant les Grecs et les Romains.

Croissance en baisse

La modernisation de l'économie est engagée depuis 2004, avec privatisations et forte diminution des droits de douane, doublant ainsi les exportations en trois ans. Mais la fracture sociale reste entière avec 6 millions d'habitants dans la misère, et la moitié vivant en dessous du seuil de pauvreté. Si les revenus du canal de Suez et les transferts d'argent des travailleurs émigrés constituent toujours une véritable rente, le secteur du tourisme est en berne depuis 2011 avec une perte annuelle de 5 millions de touristes.

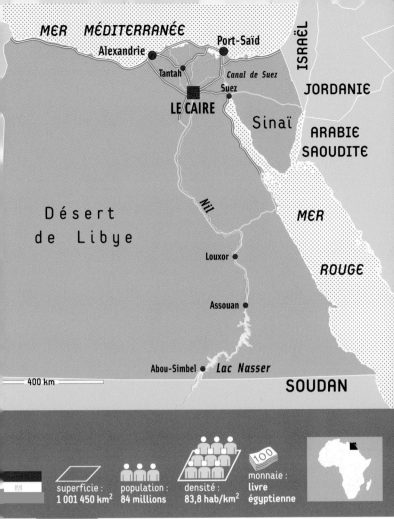

MER MÉDITERRANÉE

Alexandrie
Port-Saïd
Tantah
Canal de Suez
Suez
ISRAËL
JORDANIE
LE CAIRE
Sinaï
ARABIE
SAOUDITE
Nil
Désert
de Libye
MER
Louxor
ROUGE
Assouan
Abou-Simbel • *Lac Nasser*
400 km
SOUDAN

superficie :
1 001 450 km²
population :
84 millions
densité :
83,8 hab/km²
monnaie :
livre
égyptienne

3200 av. J.-C.	Les hiéroglyphes, plus ancien système d'écriture complet connu
1304-1237 av. J.-C.	Règne de Ramsès II
VIIe siècle	Islamisation du pays
1882	Occupation britannique, indépendance sous contrôle anglais en 1922
1953	Indépendance. Gamal Abdel Nasser, président de la République en 1956.
1979	Signature du traité de paix israélo-égyptien

Les derviches tourneurs

Ils appartiennent à l'ordre soufi mevlevi, une confrérie mystique de l'islam, fondée au XIIIe siècle dans l'Empire ottoman. Les derviches aspirent à l'union avec Dieu par la méditation, mais c'est par leur danse rituelle ressemblant au mouvement d'une toupie et durant plusieurs heures qu'ils impressionnent. Sur un rythme hypnotique, les danseurs tournent d'abord lentement puis rapidement pour atteindre une forme de transe.

Printemps arabe (2011) Après insurrection populaire et destitution du dictateur Hosni Moubarak, le pays élit démocratiquement en 2012 le président Morsi, candidat des Frères musulmans. Sa destitution par l'armée en 2013 s'apparente à un coup d'État, crée une vague de violence faisant plusieurs centaines de morts et fait craindre une guerre civile.

Oum Kalthoum (1898-1975)

Née à Tamay al-Zahira, elle a connu une telle aura qu'elle est devenue la chanteuse emblématique de son pays. Sa voix exceptionnelle, ses mélopées passionnelles, sa capacité d'improvisation (trois morceaux pouvaient durer près de six heures), ont fait d'elle une diva de la musique orientale. Militante d'un certain féminisme, ambassadrice d'une forme d'unité panarabe, Oum Kalthoum continue de bercer le monde arabe avec ses trois cents chansons.

La disparition de la Nubie égyptienne

Inauguré en 1971, le barrage d'Assouan a permis de produire de l'électricité, donc de réduire la facture pétrolière, et de réguler les crues du Nil. Mais la montée des eaux du barrage a englouti de nombreux vestiges pharaoniques et a fait disparaître les habitations traditionnelles et décorées de la Nubie égyptienne, au sud du pays. C'est donc un pan entier du patrimoine culturel mondial qui s'est vu rayé de la carte, et une population de 100 000 habitants qui a été dispersée puis relogée ailleurs.

Premiers consommateurs de pain au monde

Avec 400 g par personne et par jour, les Égyptiens sont les champions mondiaux de la consommation de pain. Celui-ci sert de base à l'alimentation d'une majorité de la population qui n'a pas les moyens d'acheter viande ou riz. Lors des émeutes de la faim du début 2008, le gouvernement a réquisitionné les boulangeries réservées à l'armée qui vendent du pain subventionné dix fois moins cher que le pain normal. Les habitants ont un lien nourricier, fort et sacré, au pain qui existe depuis 2 700 av. J.-C.

La Mauritanie

Entre monde maghrébin et monde africain

C'est vers le IIᵉ siècle de notre ère que les Berbères remplacent le cheval par le dromadaire et plantent des palmiers-dattiers près des sources pour faire naître les premières oasis. La Mauritanie a donc toujours dû lutter contre les conditions climatiques du désert et, aujourd'hui, contre son avancée.

Charnière entre monde maghrébin et monde africain, le pays a une population composite répartie entre Maures, Arabo-Berbères, Négro-Africains et Haratines (descendants d'esclaves maures noirs affranchis). En 1989, des affrontements entre Maures et Négro-Africains, pourtant tous mauritaniens, font de très nombreuses victimes. Près de 70 000 éleveurs noirs sont spoliés de leur nationalité et expulsés vers le Sénégal et le Mali. Depuis le début 2008, des réfugiés commencent à rentrer en Mauritanie et les familles des victimes demandent réparation au gouvernement de Nouakchott.

Un pays dirigiste sujet aux coups d'État

Le sud du pays, dans la région d'Aoudaghost, est gouverné pendant six siècles par l'empire du Ghana. Du XIᵉ au XVᵉ siècle, le territoire connaît différentes vagues d'arabisation qui implantent l'islam. Le général Louis Faidherbe impose la souveraineté française en 1858, mais c'est seulement en 1920 que la Mauritanie devient une colonie française. Depuis son indépendance, le pays connaît une succession de coups d'État militaires qui se déroulent la plupart du temps, fait original, sans effusion de sang.

Les ressources du pays

Sur la façade maritime du nord du pays se trouve une des zones les plus poissonneuses du monde. Mais une forte surexploitation par les bateaux étrangers a provoqué l'épuisement des ressources. Par ailleurs, le minerai de fer représente la moitié des exportations. Le pays commence à s'ouvrir au tourisme, avec l'essor du trekking et des méharées dans le désert.

Pêcher avec les dauphins

Avec plus de deux millions d'oiseaux migrateurs y trouvant refuge chaque année, le parc national du banc d'Arguin, classé patrimoine mondial par l'Unesco, est une réserve naturelle exceptionnelle. Les pêcheurs Imraguen, qui y habitent, ont la particularité d'attraper le mulet jaune au filet avec l'aide des dauphins ! Dans la réserve du cap Blanc se nichent les dernières colonies au monde de phoques moines.

Un des trains les plus longs

Le train reliant la ville minière de Zouérate dans le désert à Nouâdhibou, sur la côte, est long de 2,5 km et composé de plus de deux cents wagons pour le transport du minerai de fer.

superficie :
1 025 520 km²

population :
3,6 millions

densité :
3,5 hab/km²

monnaie :
ouguiya

ALGÉRIE

MAROC

S A H A R A

•Zouérate

Cap Blanc ● Nouâdhibou   •Ouadâne

Banc   Chinguetti
d'Arguin

MALI

■ NOUAKCHOTT

Rosso   •Bogué   •Kiffa   •Néma
●

Sénégal

SÉNÉGAL   ├─ 400 km ─┤

ATLANTIQUE

OCÉAN

Abdherramane Sissako (1961)

Né à Kiffa, membre du jury du Festival de Cannes en 2007, il est une figure majeure de la nouvelle génération de cinéastes africains. Ses films mélangent vision poétique du monde, difficulté de l'exil et engagement politique. En 2006, son long-métrage *Bamako* dénonce les dégâts causés en Afrique par les organismes financiers internationaux.

IIᵉ siècle	Implantation des Berbères
XIᵉ siècle	Première vague d'islamisation
1920	Le pays devient colonie française.
1960	Accession à l'indépendance
1989	Affrontements raciaux entre Maures et Négro-Africains
2007	Sidi Ould Cheikh Abdallahi, premier président démocratiquement élu

L'esclavage toujours d'actualité

Pour la communauté haratine, anciens esclaves maures noirs affranchis mais encore en situation de dépendance, qui représente plus de 30 % de la population, l'abolition de l'esclavage entre seulement dans les faits en 1981. C'est à partir de la loi de 1984 que les Haratines peuvent obtenir des postes gouvernementaux mais selon les organisations des droits de l'homme, ils n'accèdent en fait pas à l'administration réservée aux Maures (90 %) et aux Négro-Africains (10 %). Ils demeurent en situation de grande pauvreté, sans droit à la propriété foncière, souvent obligés de travailler dans les petits métiers ou comme ouvriers agricoles pour leurs anciens maîtres.

Coup d'État militaire (2008)

Le général Mohamed Ould Abdel Aziz prend le pouvoir. La perspective d'une ère pétrolière, depuis la découverte d'or noir dans l'Atlantique en 2006, n'est sans doute pas étrangère à ce putsch militaire. Le général Mohamed Ould Abdel Aziz est soupçonné d'être impliqué dans plusieurs affaires de trafic et de stupéfiants.

Les bibliothèques du désert

Centres de départ des pèlerins pour La Mecque, Ouadâne et Chinguetti sont uniques grâce à leurs bibliothèques du XVIIᵉ siècle. Ces deux villes caravanières ont rayonné dans les domaines spirituel et pédagogique avec leurs mosquées et leurs universités durant environ cinq siècles jusque vers 1900. Dans ces bibliothèques, on trouve encore des dictionnaires, des grammaires, des recueils de poésies, d'astronomie, de philosophie, de médecine, vieux de mille ans avec de somptueuses calligraphies, ainsi que des exemplaires du Coran cerclés d'or.

Le pays au million de poètes

Souvenirs de la bien-aimée, louanges ou satires, récités souvent par milliers de vers, les poèmes sont très appréciés au point que l'on parle de « patrie au million de poètes ». Que ce soit parmi les guerriers, les tisserands ou les pêcheurs, la poésie dépasse les clivages sociaux. Pour l'édition 2008 du concours organisé par le ministère de la Culture des Émirats arabes unis, sur les 7 000 candidats du monde arabe, c'est le poète mauritanien Sidi Mohamed Ould Bamba qui a été sacré « Émir des Poètes ».

Démocraties contrariées, démocratisation en marche

Aux régimes autoritaires à parti unique du début des indépendances succède, dans bon nombre de pays, une vague de « transitions démocratiques ».

Coups d'État et transitions démocratiques

En 1989-90, dans une quinzaine de pays, la contestation démocratique se propage pour réclamer des conférences nationales souveraines. À côté de cette pression populaire, les bailleurs de fonds (pays prêteurs) inaugurent une période d'aide financière à la condition que les pays emprunteurs se démocratisent (discours de La Baule, François Mitterrand, 1990). Si chaque régime a ses particularités et ses exceptions, on peut quand même noter un tournant démocratique au Bénin, au Ghana, au Mali, au Sénégal, en Afrique du Sud, au Botswana... Mais, si quelques « dinosaures » se maintiennent encore au pouvoir après vingt, trente ou même quarante ans de « règne », il ne faut pas toujours lire les structures politiques des États africains à l'aune de références occidentales.

Au Nigeria, les régimes militaires n'ont pu contrecarrer un certain niveau de liberté de la presse et d'association ainsi qu'une tradition électorale solidement ancrée dans le pays, et ont organisé des élections mettant en concurrence plusieurs partis (élections de 1979 et de 1993). En Mauritanie, dans les années 2000, si des coups d'État se sont certes succédé, ils l'ont été à plusieurs reprises, fait rare, sans effusion de sang, et pour remettre le pouvoir aux civils quelques mois plus tard.

La « bonne gouvernance » en marche

Mélange de lutte contre la corruption, de transparence dans la gestion des affaires publiques et de recherche de l'efficacité des institutions, la « bonne gouvernance » reste un chantier ouvert en Afrique, comme sur d'autres continents. Il reste beaucoup à faire pour renforcer les parlements, assurer l'autonomie de la justice, réduire les pesanteurs bureaucratiques et diminuer les occasions de corruption et de scrutins truqués. Des progrès sont notables dans plusieurs domaines : de nouvelles chartes constitutionnelles voient le jour, les partis politiques légalisés sont plus nombreux, la sécurité des militants est mieux assurée, la participation électorale est en hausse. Le Rwanda, dans le cadre de la politique de réconciliation suite au génocide, a remis en place, avec réussite, des anciens tribunaux de village appelés *gacaca*, pour faire justice et permettre aux rescapés et à leurs bourreaux de revivre ensemble. Pays le plus touché par le sida sur le continent, le Botswana a mené une politique efficace de lutte contre la maladie avec gratuité des soins et des dizaines de milliers de personnes traitées aux antirétroviraux.

À quoi sert l'Union africaine ?

En 2002, l'Union africaine remplace l'Organisation de l'unité africaine créée au lendemain des indépendances. Le projet est le même : mettre en marche un réel fédéralisme pour l'ensemble des cinquante-quatre États du continent, mais la tâche reste toujours autant semée d'embûches. Si les organes du fédéralisme sont bel et bien mis sur pied : parlement panafricain, conseil de paix et de sécurité, conseil économique, social et culturel, cour de justice et cour des droits de l'homme et des peuples, ils restent largement formels, consultatifs, sans impact décisif sur l'activité des États. Seule la commission, l'organe exécutif de l'UA pourtant sans grand pouvoir, peut se prévaloir de contribuer à apaiser certaines crises politiques à l'échelle continentale. Mais la difficulté de créer de véritables États-Unis d'Afrique n'est pas sans rappeler les déboires rencontrés par l'Union européenne. Ces « États-Unis », aux frontières abolies, avec armée, banque centrale, monnaie unique, passeport et gouvernement ne semblent pas pour demain pour trois raisons simples : les États africains sont, chacun, loin d'être consolidés, les relations entre États demeurent à mille lieux de l'apaisement nécessaire, et la pénurie de moyens de l'UA ne lui permet même pas de financer une force de maintien de la paix digne de ce nom.

Le général Martin Luther Agwai, commandant de la MINUAD, la force hybride ONU-Union Africaine, serrant la main d'un officier chinois des forces de paix de l'ONU au Darfour

Les réseaux lobbyistes, une politique parallèle

Suite à la décolonisation, les grandes puissances et leurs grandes entreprises ont gardé des liens privilégiés tant politiques qu'économiques avec leurs anciennes colonies. La France s'est fait une spécialité de ces réseaux entre Français et Africains. Par « Françafrique », il faut comprendre une politique parallèle à la diplomatie officielle, menée par des réseaux de connivence agissant discrètement, composés d'hommes de l'ombre (mercenaires, agents des services secrets) comme d'hommes publiques (certains chefs d'État et responsables de grandes multinationales) qui ont un objectif commun : maintenir au pouvoir certains régimes, exploiter les richesses naturelles du continent et bénéficier des dividendes. La Françafrique n'est ainsi qu'une énième forme du pillage organisé conjugué au mépris des libertés.

Des soutiens de John Mahama, élu démocratiquement président du Ghana en décembre 2012, à l'annonce de sa victoire

L'Afrique de l'Ouest

Située entre le Sahara et la forêt équatoriale, l'Afrique de l'Ouest est une grande zone de savane. Elle se caractérise par l'ancienneté de ses États, l'ouverture et les échanges commerciaux à travers le Sahara. C'est dès le VIIIe siècle avec l'empire du Ghana que les premières organisations sociales et politiques voient le jour. Avec sa généralisation au XIe siècle, l'influence culturelle de l'islam est déterminante. Pour répondre à la demande des pays arabes, les grandes cités des empires sahéliens et soudaniens commencent à fournir des esclaves et, pour satisfaire à la demande européenne, les royaumes de la côte guinéenne participent plus tard à la traite atlantique. Les peuples du Sahel sont plutôt islamisés et les peuples de la forêt, plutôt christianisés. Aujourd'hui, par sa démographie, son pétrole et son influence (effort de médiation dans des conflits de pays voisins), c'est le Nigeria qui représente la puissance régionale montante. La montée de l'islamisme radical au Sahel suscite des inquiétudes sur la stabilité politique de la sous-région.

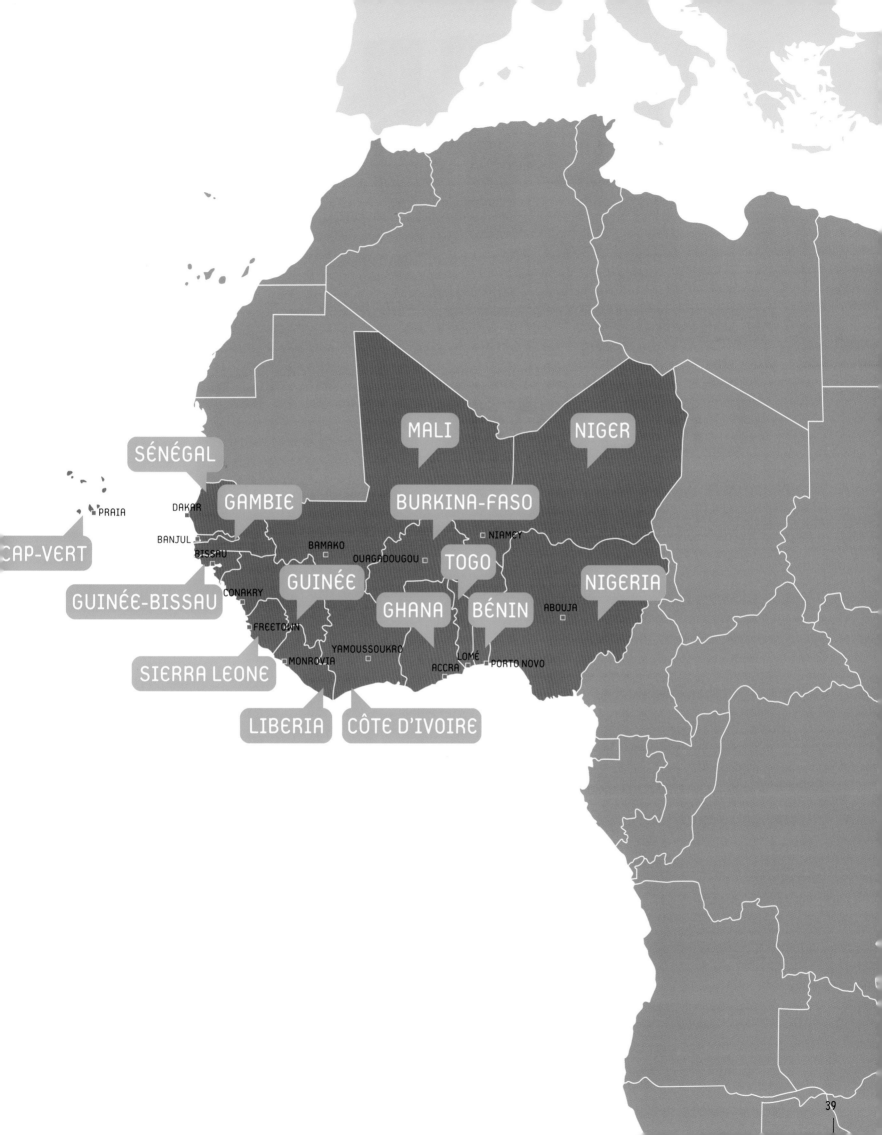

SÉNÉGAL

MALI

NIGER

GAMBIE

BURKINA-FASO

CAP-VERT

GUINÉE-BISSAU

GUINÉE

TOGO

NIGERIA

GHANA

BÉNIN

SIERRA LEONE

LIBERIA

CÔTE D'IVOIRE

PRAIA

DAKAR

BANJUL

BISSAU

BAMAKO

OUAGADOUGOU

NIAMEY

CONAKRY

FREETOWN

YAMOUSSOUKRO

MONROVIA

ACCRA

LOMÉ

PORTO NOVO

ABOUJA

Le Sénégal

Terre de culture

Connu pour ses réserves naturelles d'oiseaux (parc du Djoudj), pour sa lutte traditionnelle alliant sport et mystique, pour ses artistes comme Youssou N'Dour ou Ousmane Sow, et également pour sa Maison des esclaves de Gorée, le Sénégal a été fortement marqué par la personnalité de son premier président, Léopold Sédar Senghor. Poète, créateur des concepts de « négritude » et de francophonie, visionnaire d'une civilisation planétaire où chaque culture aurait sa place, il quitte le pouvoir de lui-même en 1980. Aujourd'hui, avec 60 % de moins de 20 ans, chaque année près de 100 000 jeunes se retrouvent sans emploi : les Sénégalais connaissent des conditions de vie de plus en plus difficiles. La religion influence fortement la classe politique nationale et empiète sur le territoire de la laïcité, notamment à travers l'impact des 4 millions d'adeptes de la confrérie mouride.

Premier champion africain de boxe

Natif de Saint-Louis, Battling Siki est le premier Africain champion du monde de boxe anglaise grâce à sa victoire contre le Français Georges Carpentier en 1922.

Dakar, chantier permanent

Si le pays tire ses principales ressources du tourisme, de la pêche, des phosphates et des arachides, le bâtiment et les travaux publics restent une locomotive de l'économie. Murs de briques fraîches, sacs de ciment et tas de sable décorent chaque coin de rue. À côté des grands chantiers de l'État (autoroute, aéroport) et des grands projets hôteliers, d'innombrables immeubles et maisons individuelles sortent chaque jour de terre.

Pirogues
de pêche au large
de Saint-Louis

Une aire marine protégée

Depuis 2003, gérée par les quatorze villages alentour, classée réserve de la biosphère par l'Unesco, l'aire marine protégée du Bamboung s'étend sur 7 000 ha de mangrove et d'îles. Pour sauvegarder les espèces menacées, dont le thiof (une espèce de mérou) et le lamantin, on a interdit pêche, chasse et cueillette par un système d'écogardes, et proposé une alternative aux pêcheurs par le biais d'un campement d'écotourisme. En cinq ans, trente-trois espèces de poissons sont revenues et les dauphins recolonisent la zone.

La résistance au chemin de fer

Grand résistant à la conquête coloniale, parfait représentant de l'éthique de l'honneur et de la bravoure des *ceddo* (guerriers) wolofs, Lat Dior Ngone Latir Diop fait de la construction du chemin de fer Dakar-Saint-Louis par les colons français son principal combat. Reconnu par les Français *damel* (roi) du Cayor, il lance une guérilla de deux ans contre eux et leurs alliés. En 1886, il est tué à la bataille de Dekhlé, selon la légende, par une balle en or, fondue à cette occasion.

ATLANTIQUE

OCÉAN

MAURITANIE

● Saint-Louis

■ DAKAR
● Thiès
● Mbour
● Kaolack
Tambacounda

MALI

Sénégal

GAMBIE

Casamance
Gambie

● Ziguinchor

GUINÉE - BISSAU

GUINÉE

200 km

Atelier
de tailleurs
à Dakar

superficie :
196 722 km²

population :
13 millions

densité :
66 hab/km²

monnaie :
franc CFA

L'île de Gorée

Cheikh Anta Diop (1923-1986)

Né à Caytou, historien humaniste, intellectuel engagé dans la lutte anticoloniale, fondateur d'un parti politique interdit sous Senghor, il publie *Nations nègres et culture* en 1954. Un livre événement où il fait la démonstration que l'Afrique a une histoire et que la civilisation de l'Égypte ancienne était négro-africaine.

1659 _ Les Français fondent Saint-Louis.

1814 _ Colonie française

1916 _ Citoyenneté française accordée aux habitants des « quatre communes » (Dakar, Saint-Louis, Gorée, Rufisque)

1960 _ Indépendance, Léopold Sédar Senghor président

1981 _ Présidence d'Abdou Diouf

2000 _ Abdoulaye Wade président

« Barcelone ou l'au-delà »

Désespérés de ne pas trouver de travail, attirés par une Europe perçue comme un eldorado et influencés par leurs camarades qui, revenus de « là-bas », construisent leur maison, de nombreux jeunes émigrent clandestinement par la mer. Le trajet consiste à rejoindre en dix jours les îles Canaries (Espagne), entassés à une centaine dans une pirogue de fortune en payant une somme pouvant atteindre 750 euros. Cette traversée, pendant laquelle beaucoup disparaissent en mer, est nommée par ces jeunes *barça ou barsakh*, « Barcelone ou l'au-delà ».

Un naufrage, traumatisme national

En raison d'un surnombre de passagers, le *Joola*, ferry reliant Ziguinchor, capitale de la Casamance, à Dakar, fait naufrage en septembre 2002. Avec plus de 2 000 victimes, soit plus que le *Titanic*, cette tragédie révèle une très mauvaise gestion de la catastrophe par les pouvoirs publics jusqu'aux plus hautes fonctions de l'État. Elle repose la question de la Casamance, région du Sud coupée par la Gambie, en proie à une rébellion indépendantiste depuis 1982.

Le pays des belles lettres

Si la première génération d'écrivains fait toujours référence (avec Léopold Sédar Senghor, Birago Diop, Cheikh Hamidou Kane, Ousmane Sembène, Aminata Sow Fall, Mariama Bâ), les plumes des années 1970 et 1980 ont largement pris la relève. Ken Bugul écrit des romans crus où elle s'attaque à des tabous sociaux *(Rue Félix-Faure)*. Fatou Diome décrit l'exil, la solitude, la mort chez les gens simples *(Inassouvies, nos vies)*. Boubacar Boris Diop dénonce l'exploitation occidentale et la Françafrique *(Négrophobie)*.

Macky Sall élu président de la République (2012). La jeunesse sénégalaise, représentée par le mouvement né en 2011 baptisé « Y'en a marre », contribue à faire tomber Abdoulaye Wade. Collectif composé de rappeurs et de journalistes, aux avant-postes du combat pour la démocratie, le mouvement lance une vaste fronde accompagnée d'émeutes pour contraindre l'ancien président à renoncer à son projet de modifier la constitution en sa faveur.

| | superficie : 11 300 km² | population : 1,8 million | densité : 159 hab/km² | monnaie : dalasi |

La Gambie

Une bizarrerie géographique

Petit État anglophone suivant le tracé du fleuve Gambie, hérésie géographique qui coupe le Sénégal et le peuple wolof en deux, le pays abrite des paysages de forêts, de palmeraies, de rizières, de mangroves et accueille de nombreuses réserves naturelles d'oiseaux. La Gambie a fait sa réputation sur la contrebande de produits manufacturés réexportés dans les pays voisins, et connaît de fréquents différends douaniers avec les Sénégalais, obligés de passer la frontière deux fois pour se rendre au Sénégal. Avec 100 000 visiteurs par an, 30 % des recettes d'exportation et un emploi sur cinq dans le privé, le tourisme est le secteur le plus florissant. Les stations balnéaires de Bakau, Fajara, Kotu et Kololi sont concentrées à l'ouest de Banjul, mais la prostitution féminine et masculine pour les touristes prend des proportions inquiétantes.

Traversée en bac
du fleuve Gambie

Médias sous la terreur

Le président Yahya Jammeh marque son hostilité pour la presse dès sa prise du pouvoir en 1994. Mais les intimidations du début laissent vite la place à des menaces puis à des interpellations de journalistes critiques envers sa politique. En 2004, une loi autorisant l'emprisonnement de journalistes condamnés pour diffamation est votée. La même année, parce qu'il avait contesté cette loi, l'influent directeur du quotidien *The Point*, Deyda Hydara est assassiné.

Découpage arbitraire

En 1816, la Grande-Bretagne achète une petite île sur le fleuve Gambie. En 1884-85, la Conférence de Berlin délimite les zones d'influence des Européens en Afrique. Dans ce découpage, on attribue donc naturellement cette zone aux Anglais. Mais, comme la Gambie produit peu de richesses, Londres ne souhaite pas vraiment s'approprier cette petite enclave en territoire français. Les Anglais tentent même de l'échanger contre un autre territoire, sans succès.

Sur la plage de
Senegambia

L'esclave le plus connu au monde

Le village de Jufureh devient mondialement célèbre avec la publication du livre *Racines* d'Alex Haley, un Afro-Américain qui raconte la capture de son ancêtre Kunta Kinte.

1888	Colonie britannique, le pays est déjà protectorat depuis 1816.
1965	Indépendance
1989	Dissolution de la confédération de la Sénégambie conclue avec le Sénégal en 1982
1994	Coup d'État militaire de Yahya Jammeh président de la République, toujours au pouvoir
2013	Le pays se retire du Commonwealth que son gouvernement considère comme une « institution néocoloniale ».

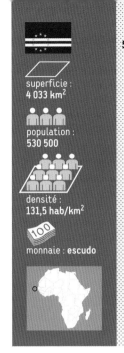

superficie :
4 033 km²

population :
530 500

densité :
131,5 hab/km²

monnaie : escudo

ÎLES DE BARLAVENTO

Santo Antão
Porto Novo
São Vicente
Mindelo
Santa Luzia
Ilhéu Branco
Vila da Ribeira Brava
Ilhéu Raso
São Nicolau

Sal
Santa Maria

Boa Vista
Sal Rei

OCÉAN ATLANTIQUE

100 km

ÎLES DE SOTAVENTO

Santiago
Pedra Badejo
Maio
São Filipe
Fogo
PRAIA
Brava

Le Cap-Vert

Un métissage latino-africain

Ne pas dépasser la dose prescrite !
Eau-de-vie à base de canne à sucre distillée, titrant 50° à 70° d'alcool, le grogue est une boisson dont les meilleurs crus sont issus de l'île de Santo Antão.

Le pays est composé d'une dizaine d'îles et de huit îlots d'origine volcanique. Connu pour sa musique, ses carnavals de Mindelo et São Nicolau et sa douceur de vivre, le Cap-Vert devient une destination touristique prisée. La bonne santé du tourisme balnéaire, nautique et médical (vertus curatives du sable noir de Tarrafal), de la pêche à l'exportation (langouste, homard, thon) et les avantages fiscaux accordés aux investisseurs étrangers dopent le développement du pays. La démocratie s'est installée dans la stabilité, l'opposition bénéficie de la liberté d'expression et le niveau de vie s'est élevé au point que le Cap-Vert a rejoint le groupe des pays à revenus intermédiaires en 2008. Population très métissée, les Capverdiens parlent le créole et le portugais et se considèrent comme des latino-africains.

Le rôle clé de la diaspora

À partir de 1863 et durant plus d'un siècle, les Capverdiens subissent une émigration forcée pour répondre aux besoins de main-d'œuvre dans les plantations de cacao de São Tomé et Príncipe. Mais les sécheresses et les famines entraînent aussi une émigration spontanée vers la Guinée-Bissau, le Sénégal, l'Europe et les États-Unis. Avec ses importants transferts financiers, la diaspora (700 000 personnes) représente un moteur essentiel pour l'économie.

Morna, entre nostalgie et souffrance

Sous l'influence du fado portugais et des *modinhas brasileiras* du Brésil, la musique morna est l'expression de la saudade (nostalgie), connue dans le monde entier grâce à Cesaria Evora. L'inspiration de la morna vient des blessures de l'esclavage, mais elle exprime aussi la souffrance du départ, la séparation avec l'être aimé, et les douleurs liées à la faim. La nouvelle génération vibre grâce à Mayra Andrade, Gabriela Mendes, Lura, Sara Tavares et Mariana Ramos.

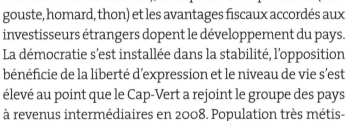

Cultures en terrasses sur l'île de Santo Antão

Homme portant un thon vers le marché central de Praia

1460 — Les Portugais prennent possession des îles qui servent de lieu de transit pour les esclaves jusqu'en 1575.

1956 — Amilcar Cabral lutte contre le colonisateur portugais pour libérer la Guinée-Bissau et le Cap-Vert.

1975 — Indépendance, création d'un État unique avec la Guinée-Bissau qui se scinde en 1980.

1990 — Adoption du multipartisme

2011 — Jorge Carlos Fonseca, élu président de la République

Le Mali

La richesse de l'authentique

Enclavé et désertique (le Sahara couvre 65 % du pays et progresse de un kilomètre chaque année), dépendant du secteur agricole avec huit actifs sur dix, le Mali reste tributaire de l'aide internationale. Le pays était pourtant riche à l'époque de l'empire du Mali et son histoire, exceptionnelle avec Tombouctou et le pays dogon. Grand lieu de culture portée par des figures qui ont fait le tour du monde comme le cinéaste Souleymane Cissé, le photographe Malick Sidibé, l'historienne féministe Adame Ba Konaré ou encore l'écrivain altermondialiste Aminata Traoré, le Mali a aussi été connu internationalement grâce à de grands ethnologues européens comme Mungo Park, René Caillié, Marcel Griaule ou Théodore Monod. Les quatre millions de Maliens qui vivent à l'étranger, en Afrique et surtout en France, contribuent largement au développement économique du pays par leurs transferts d'argent.

Le bogolan

Cette étoffe est tissée à la main. On y applique des teintures issues de terre argileuse, enlevées après séchage : apparaissent alors des motifs géométriques et abstraits.

L'épopée de Soundjata Keita

Prince né sans pouvoir marcher, Soundjata Keita, chef du peuple mandingue, devient roi puis est couronné *mansa* (« roi des rois ») en 1240. Il fonde l'empire du Mali, qui, à son apogée au XIVe siècle, s'étend de l'océan Atlantique au Nigeria et contrôle l'ensemble du commerce saharien. Il transforme Tombouctou en un centre intellectuel de l'islam, fait preuve d'une grande tolérance religieuse, est sans doute à l'origine de la division sociale en castes héréditaires, et interdit l'esclavage dans la Charte du Mandé.

Or jaune et or blanc

Même si l'or représente encore 75 % des recettes d'exportation (troisième producteur du continent), le maintien de sa production à un haut niveau dépend de l'entrée en application de la réforme du code minier censé préserver les intérêts nationaux. Le coton fait vivre 3,5 millions d'habitants mais sa production reste fragile car elle dépend des cours mondiaux, d'une trop récente restructuration de la Compagnie malienne pour le développement du textile, et elle subit la concurrence des productions subventionnées nord-américaines.

Symbole du rayonnement de Djenné

Chaque année au mois d'avril, à la fin de la saison des pluies, la corporation des maçons de Djenné, aidée de quatre mille volontaires, dresse ses échafaudages sur les chevrons de bois affleurant les murs de la mosquée pour en recrépir la façade. Entièrement construite en banco (terre crue), plus grand édifice en banco du monde, la mosquée est érigée au XIIIe siècle, pour concurrencer La Mecque, puis a été réédifiée en 1907 dans le même style soudanais des origines.

Masque du village de Tireli en pays dogon

superficie : 1 240 192 km²	population : 16,3 millions	densité : 13,1 hab/km²	monnaie : franc CFA

Femmes peules aux boucles d'oreilles géantes

Traversée de troupeaux à Diafarabé sur le delta du Niger

Amadou Hampâté Bâ (1901-1991)

Né à Bandiagara, il consacre sa vie à répertorier les traditions orales d'Afrique de l'Ouest à travers les récits des anciens griots. Transcripteur de langues nationales, membre du Conseil exécutif de l'Unesco, il est l'auteur de *Vie et enseignement de Tierno Bokar* (1957) et de la fameuse citation : « En Afrique, quand un vieillard meurt, c'est une bibliothèque qui brûle. »

es musiciens du monde

diki Diabaté (virtuose de la kora), Salif Keita usique mandingue modernisée par l'orgue, la itare et le saxophone), Ali Farka Touré (sonorités x influences très blues) sont les représentants la première génération à porter haut la richesse usicale du pays. Plus récemment sont apparus mou Sangaré (tradition du Wassoulou avec s chansons à tonalité féministe), Rokia Traoré onorités maliennes et arrangements pop, blues rock) et Amadou et Mariam (des influences tra- tionnelles jusqu'à l'électro-pop).

1890 _	Création du Soudan français, capture de Samory Touré, figure de la résistance, en 1898
1959 _	Création de la fédération du Mali composée du Sénégal et de la République soudanaise (nom du Mali à l'époque)
1960 _	Indépendance de la république du Mali, Modibo Keita président
1968 _	Coup d'État militaire de Moussa Traoré
1990 _	Début de la rébellion touareg
1991 _	Coup d'État militaire d'Amadou Toumani Touré qui rend le pouvoir aux civils en 1992.

La révolte touareg

Propriétaires d'une écriture avec un alphabet, amateurs de poésie épique, partageant les travaux ménagers entre homme et femme, les Touareg sont des nomades, se déplacent à dos de chameau, de puits en puits, dans le désert du nord du pays. D'abord oubliés par les subventions publiques depuis l'indépendance, puis parqués dans des camps dans les années 1980, les populations mouraient de faim suite aux grandes sécheresses et au détournement de l'aide internationale qui leur était destinée. Pour ces raisons, les Touareg sont entrés en rébellion dès 1990.

Sigui, cérémonie dogon

Chez les Dogon, un peuple qui vit au sud-est du pays, les cérémonies du sigui demandant près de deux ans de préparation ont lieu tous les soixante ans et se déroulent sur sept ans ! Le dernier s'est tenu de 1967 à 1973. Intégré à une vision de l'univers très complexe, le sigui est calé sur le cycle de l'étoile Sirius, et, à travers des danses masquées, il commémore à la fois l'histoire des origines dogon, les funérailles du premier ancêtre, l'organisation du système solaire et le renouvellement des générations.

2013 : Fin de la guerre au Nord-Mali. Après la guerre qui a vu l'intervention militaire de la France mettre en déroute les islamistes armés et faire plus de 600 morts, un nouveau président Ibrahim Boubacar Keïta est élu. Il doit surtout gérer la réconciliation avec les Touaregs qui exigent toujours l'autonomie du Nord-Mali.

Le Burkina Faso

Une identité forte et fière

Enclavé, désertique au nord et dominé par la savane au sud, tributaire des aléas climatiques et des invasions de criquets, le Burkina Faso reste un pays pauvre. Pourtant, les bons chiffres de la campagne cotonnière de 2008 le placent à nouveau en tête des pays africains producteurs d'or blanc, une filière qui fait vivre trois millions de personnes. Héritier, à partir du XVe siècle, du royaume mossi et de sa fondatrice Yennega, le pays rayonne au niveau mondial au début des années 1980 avec Thomas Sankara au pouvoir. Celui-ci réalise de profondes transformations intérieures et redonne un sentiment de fierté à la jeunesse continentale. Traditionnel réservoir de main-d'œuvre pour ses voisins, lors de la crise ivoirienne de 2002, le pays est ébranlé par un afflux de rapatriés (au moins 370 000) et blessé par le racisme antiburkinabé des Ivoiriens.

Le « pays des hommes intègres »

En langue dioula, le mot *burkina* signifie « intégrité, droiture » et le mot *faso*, la « terre de nos ancêtres », on traduit donc par « le pays des hommes intègres ».

Stimuler le cinéma africain

Créé en 1969, le Festival panafricain du cinéma et de la télévision de Ouagadougou (Fespaco) vient rompre avec des années de cinéma colonial pour amorcer une véritable création africaine. Il se donne pour objectif de stimuler le tournage de longs métrages, de développer la diffusion des films du continent dans le monde, et d'essayer de résoudre l'impossible équation : face à la pénurie de salles comment faire en sorte que les Africains puissent voir leur propre cinéma ?

L'expérience Sankara

Jeune, vertueux et révolutionnaire, le capitaine qui prend le pouvoir en 1983 est animé par la lutte contre l'impérialisme postcolonial et la corruption. Il roule lui-même en Renault 5, vend aux enchères les voitures des hauts fonctionnaires, et instaure le port obligatoire de vêtements de tissus traditionnels confectionnés par une société d'État. Il interdit polygamie et excision, entreprend une campagne de vaccination, fait construire écoles, dispensaires et puits. Il est aujourd'hui encore considéré comme un héros national.

Gorom-Gorom, un marché carrefour

Tous les jeudis, le marché de la ville, porte d'entrée du Sahel, s'anime à partir de 11 h et rassemble, sous une chaleur accablante et une forte poussière, paysans et commerçants des alentours et de toutes les ethnies, Touareg, Bella, Songhaï, Peuls, Maures... On y trouve toutes sortes de produits ainsi que des animaux à vendre : dromadaires, chevaux, zébus, chèvres, moutons, bovins et ânes.

Homme peul chassant une invasion de criquets

Le boom du karité biologique

L'amande du fruit du karité fournit un beurre d'usage culinaire et cosmétique, voire médicamenteux. S'il est employé depuis toujours par les femmes burkinabés, il entre depuis une dizaine d'années sur le marché international grâce à de grandes marques de cosmétiques, et bénéficie de plus en plus du label écologique Ecocert. Pour protéger et moderniser la filière, qui fait travailler près de 500 000 personnes, le gouvernement a lancé le Projet national karité.

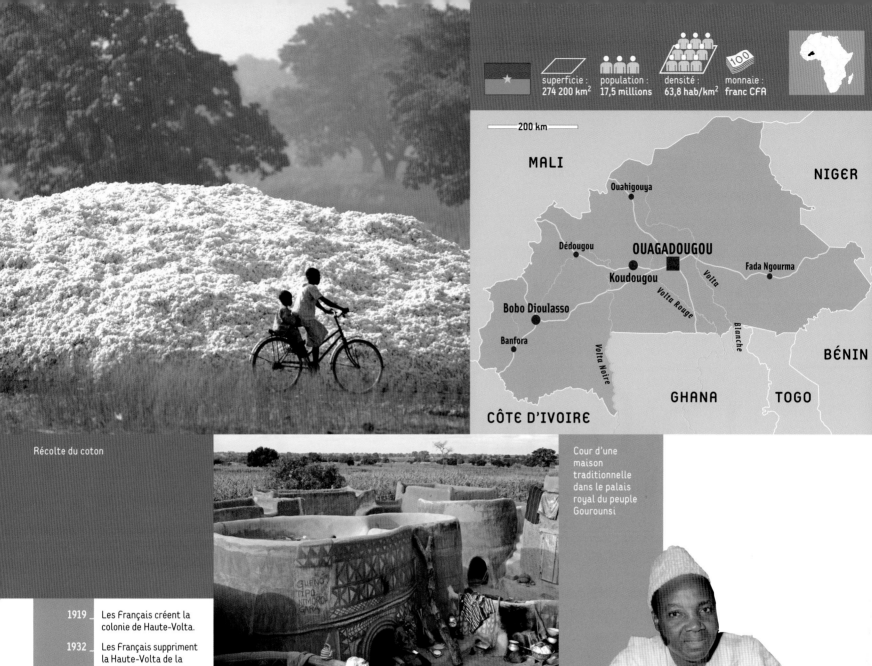

| | superficie : 274 200 km² | population : 17,5 millions | densité : 63,8 hab/km² | monnaie : franc CFA |

200 km

MALI

NIGER

Ouahigouya

Dédougou

OUAGADOUGOU

Fada Ngourma

Koudougou

Volta

Volta Rouge

Bobo Dioulasso

Blanche

Banfora

BÉNIN

Volta Noire

GHANA

TOGO

CÔTE D'IVOIRE

Récolte du coton

Cour d'une maison traditionnelle dans le palais royal du peuple Gourounsi

1919 — Les Français créent la colonie de Haute-Volta.

1932 — Les Français suppriment la Haute-Volta de la carte, et la partagent entre Côte-d'Ivoire, Niger et Soudan français. Le pays retrouve son unité territoriale en 1947.

1960 — Indépendance

1983 — Putsch de Thomas Sankara, la Haute-Volta devient le Burkina Faso en 1984.

1987 — Assassinat de Thomas Sankara, coup d'État de Blaise Compaoré, toujours au pouvoir

2008 — Émeutes de la faim et grève estudiantine

Le Tour cycliste du Faso

Véritable phénomène de société fondé en 1987, course cycliste la plus importante du continent, le Tour du Faso s'étend sur 1 245,5 km avec une dizaine d'étapes d'environ 100 km chacune, à cause de la chaleur. Européens, maghrébins, subsahariens, les coureurs doivent apprendre à éviter les nids-de-poule ou à rouler sur des portions de routes non goudronnées.

1998 : Assassinat du journaliste Norbert Zongo. Alors qu'il enquêtait sur la mort douteuse du chauffeur de François Compaoré, frère du président de la République, le directeur de *L'Indépendant* est retrouvé carbonisé dans sa voiture. Jouissant d'une grande popularité, l'annonce de son décès suscite des manifestations spontanées dans tout le pays. Le journaliste est devenu un symbole de la liberté de la presse.

Joseph Ki-Zerbo (1922-2006)

Né à Toma, premier africain agrégé d'histoire, membre du conseil exécutif de l'Unesco, père du concept de « développement endogène » (prise en compte de l'héritage culturel), il est exilé par le régime militaire. Militant anticolonialiste, il fonde ensuite plusieurs partis politiques et se bat pour faire avancer la cause des droits de l'homme.

Parenté à plaisanterie

Le *dakure*, ou parenté à plaisanterie, est un mode de reconnaissance entre deux personnes d'ethnies différentes ou de même ethnie (le pays en compte soixante). Chacun peut se taquiner, se traiter des mots les plus vulgaires, mais sans jamais en prendre ombrage. Cette pratique permet de garantir les liens, de créer des solidarités et, de tout temps, elle a régulé les tensions par le rire en prévenant de nombreux conflits dans l'histoire de l'Afrique de l'Ouest.

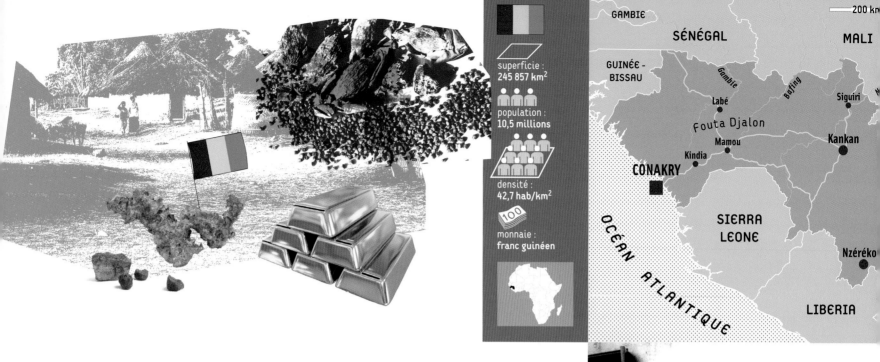

superficie :
245 857 km²

population :
10,5 millions

densité :
42,7 hab/km²

monnaie :
franc guinéen

La Guinée

Hier résistante, aujourd'hui assistée

Les Amazones de Guinée, groupe musical de l'armée entièrement féminin

Château d'eau de l'Afrique de l'Ouest avec le massif montagneux du Fouta Djalon, le pays donne naissance à plusieurs grands fleuves comme le Sénégal, la Gambie, le Niger. La Guinée est surtout connue pour deux hauts personnages historiques. L'almamy Samory Touré, roi insoumis et fin militaire du XIXᵉ siècle, résiste au colonisateur français par sa stratégie de la terre brûlée. Le président Ahmed Sékou Touré, en 1958, est le seul à préconiser le non au référendum prévoyant l'union avec la France proposé par le général de Gaulle, bien décidé à obtenir l'indépendance du pays. Son régime

Ouvrier d'une mine de bauxite

1861	Samory Touré règne sur l'empire du Wassoulou (Haute Guinée), il est capturé par les Français en 1898.
1893	Le pays devient colonie française sous le nom de Guinée française.
1958	Indépendance, Ahmed Sékou Touré président de la République
1984	Mort d'Ahmed Sékou Touré, coup d'État militaire, Lansana Conté devient président
2010	Élection d'Alpha Condé à la présidence de la République après 52 ans de régimes dictatoriaux

La patrie de la percussion

À l'indépendance, la Guinée est le premier État africain à créer un orchestre national, le Bembeya Jazz, dont les succès font le tour du continent.

dictatorial pousse ensuite à l'exil plusieurs centaines de milliers d'habitants. Aujourd'hui, la Guinée conjugue pauvreté, chômage, infrastructures en ruine, alors qu'elle détient d'exceptionnelles richesses minérales.

Des pénuries d'électricité quotidiennes

Les coupures d'électricité durent souvent plus de douze heures par jour. Frein à l'économie, y compris au moindre petit métier, menace pour les réserves de denrées dans les congélateurs, elles obligent à tout pour trouver une source de lumière. De nombreux élèves vont par exemple réviser leurs examens sous les lampadaires de la zone éclairée de l'aéroport de Conakry !

Un « scandale géologique »

Avec leurs réserves en bauxite, fer, or, diamant, calcaire, nickel, chrome, cuivre, uranium, et cobalt, les mines assurent 85 % des recettes d'exportation. Près de deux cents sociétés étrangères exploitent ces minerais, et, jusque dans les années 1990, la Guinée leur a octroyé de larges superficies sans obligation de rétrocession ni contribution financière. Ces entreprises ont donc profité du système et pu extraire le minerai brut pour le raffiner à l'extérieur.

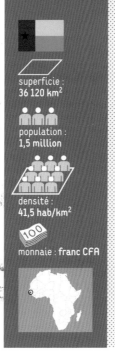

superficie :
36 120 km²

population :
1,5 million

densité :
41,5 hab/km²

monnaie : franc CFA

GAMBIE

SÉNÉGAL

100 km

Cacheu

BISSAU

Bafatà

Gabú

Bubaque

Catió

ÎLES
BISSAGOS

GUINÉE

OCÉAN ATLANTIQUE

La Guinée-Bissau

Un État pris en otage

La mangrove, avec ses flamboyants et ses fromagers, représente un quart de la surface du pays et la mer, 10 à 20 % du territoire selon le coefficient des marées. Pays lusophone, la Guinée-Bissau montre dès la fin du XIXᵉ siècle une forte résistance au colonisateur. Elle voit naître Amilcar Cabral (1924-1973), métis capverdien, intellectuel panafricain, héros national qui engage la lutte armée face à un pouvoir portugais qui utilise le napalm contre la rébellion. Depuis son indépendance, le pays a connu coups d'État et guerre civile, vit aujourd'hui surtout de l'agriculture, de la pêche, et les trois quarts de son budget dépendent de l'aide extérieure. Amateur de football et de lutte traditionnelle, les habitants doivent affronter les coupures d'électricité depuis dix ans et les coupures d'eau depuis 2009.

Enfants portant
des seaux d'eau
potable

1879	Le pays devient colonie portugaise, les Portugais ont abordés les côtes dès 1446.
1963	Guérilla anticoloniale lancée par Amilcar Cabral, assassiné en 1973
1974	Indépendance
1980	Coup d'État de Joào Bernardo Vieira, fin de l'union avec le Cap-Vert
2012	Manuel Serifo Nhamadjo élu président de la République par intérim

Mérites de la noix de cajou

Issue de l'anacardier, la noix de cajou représente la principale ressource pour près de la moitié de la population et le pays est le sixième producteur mondial.

Trieuses de noix de cajou dans une
petite entreprise de décortiquage

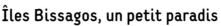

Îles Bissagos, un petit paradis

Réserve écologique classée au patrimoine mondial de l'Unesco, cet archipel de quatre-vingt-huit îles héberge une flore et une faune exceptionnelles dont les très rares hippopotames marins. Les habitants ont préservé leurs coutumes animistes (entretien du feu sacré, conseil des anciens, offrandes aux esprits des ancêtres, scarifications), dont leurs rites d'initiation à sept degrés qui couvrent chaque étape de la vie.

La domination des narcotrafiquants

Les trafiquants de drogue sud-américains sont en train de transformer le pays en un narco-État. Venus notamment du Venezuela et de Colombie, ils se cachent derrière des bandes armées ; leur stratégie consiste à lancer des assauts sur des villes côtières pour créer des no man's land et écouler leur cocaïne vers les capitales européennes. Ils corrompent les administrations (police, douane, armée) et contribuent à faire dépérir l'État. Chaque mois, la valeur de la drogue qui entre dans le pays équivaut à son PIB annuel (680 millions d'euros).

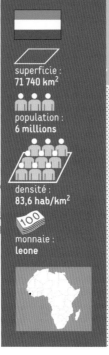
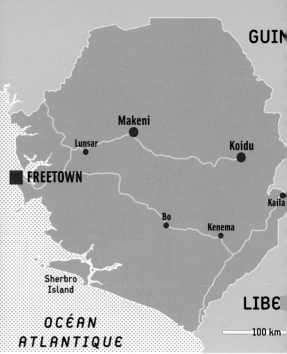

superficie :
71 740 km²

population :
6 millions

densité :
83,6 hab/km²

monnaie :
leone

La Sierra Leone

Le pays le plus pauvre du monde

Pays côtier avec une plaine fertile et de grandes richesses minières (rutile, bauxite), la Sierra Leone s'est fait une triste réputation avec les « diamants du sang », ces pierres précieuses qui ont financé une guerre civile de plus de dix ans (200 000 morts, 100 000 mutilés, 2 millions de déplacés). Au cours du XIXᵉ siècle, le gouvernement colonial anglais s'efforce d'obtenir toujours plus de terrains pour les octroyer aux anciens esclaves rapatriés, les Créoles (3 % de la population). Avec celle des diamants, la question de la propriété foncière va rester au centre des conflits entre nouveaux et premiers occupants, pour déboucher sur la guerre civile des années 1990. Pays le plus pauvre du monde, la Sierra Leone occupe une des dernières places (177 sur 186), dans le classement 2013 de l'indice de développement humain des Nations-Unies.

Le gingembre pour relancer l'économie

Exportateur depuis 2006, créateur d'emplois, touchant 9 000 paysans, le secteur des épices et du gingembre en particulier est une priorité du gouvernement.

Comment juger l'horreur ?

Depuis 2002, l'État et l'ONU ont créé le Tribunal spécial pour la Sierra Leone pour juger les seigneurs de la guerre arrêtés et accusés de crimes de guerre et de crimes contre l'humanité. Tous ont fait vivre l'enfer aux populations civiles : enrôlement d'enfants, pillages, viols, assassinats, mutilations... Tous ont été condamnés à des peines très lourdes, dont 50 ans pour le Libérien Charles Taylor, qui a soutenu les rebelles.

Un projet humaniste à visée commerciale

La création de la Sierra Leone a une origine philanthropique : rendre leurs lieux d'origine aux victimes noires de l'esclavage. Mais pour le gouvernement anglais de la fin du XVIIIᵉ siècle, il s'agit aussi d'investir. Deux cents ans après, le Royaume-Uni reste l'un des plus gros importateurs mondiaux de diamants bruts. Le soutien de Londres aux autorités de Freetown, pour leur permettre d'accéder aux filières traditionnelles de production de diamant, s'est ainsi maintenu durant toute la guerre civile.

Chercheurs de diamants

Des mutilés de la guerre civile jouant au football

1787	Installation des premiers « colons noirs » en Sierra Leone, devenue colonie britannique en 1808
1961	Indépendance
1991	Début de la guérilla du Front révolutionnaire uni (RUF) de Foday Sabana Sankoh
2002	Fin de la guerre civile
2007	Élections démocratiques

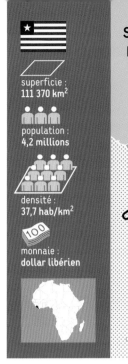
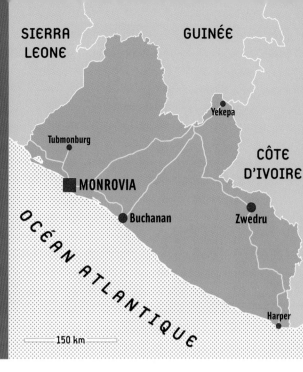

superficie :
111 370 km²

population :
4,2 millions

densité :
37,7 hab/km²

monnaie :
dollar libérien

SIERRA LEONE

GUINÉE

Yekepa

Tubmonburg

CÔTE D'IVOIRE

MONROVIA

Buchanan

Zwedru

OCÉAN ATLANTIQUE

Harper

150 km

Le Liberia

La république se reconstruit

Pays de forêt dense, le Liberia se remet difficilement d'une guerre civile qui a détruit la plupart des infrastructures (plus de 10 000 km de routes délabrées) et a fait fuir une main-d'œuvre qualifiée. Aujourd'hui, la sécurité n'est pas complètement rétablie : les 8 900 hommes de la mission de l'ONU sont encore présents. Le secteur agricole (hévéa, bois, huile de palme), portuaire avec l'inscription de nombreux pavillons de complaisance, et surtout

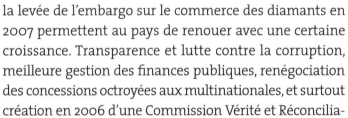

Une domination américano-libérienne

En 1822, une société antiesclavagiste américaine fonde le Liberia pour y installer des esclaves américains libérés. Les premiers groupes d'arrivants prévoient d'apporter civilisation et religion chrétienne aux habitants et sont donc perçus comme des colons. Jusqu'en 1980, le pays est gouverné par une minorité américano-libérienne (5 % de la population). Un coup d'État militaire permet aux « Africains » de reprendre le pouvoir, mais annonce la prochaine et sanglante guerre civile (250 000 morts).

la levée de l'embargo sur le commerce des diamants en 2007 permettent au pays de renouer avec une certaine croissance. Transparence et lutte contre la corruption, meilleure gestion des finances publiques, renégociation des concessions octroyées aux multinationales, et surtout création en 2006 d'une Commission Vérité et Réconciliation inspirée de l'exemple sud-africain figurent parmi les plus fortes mesures de la présidente.

Réinsérer les enfants soldats

Plus de 21 000 filles et garçons de moins de dix-huit ans ont participé à la guerre civile. Tous ont commis sur ordre des actes de sauvagerie (y compris l'assassinat de leurs propres parents). Longue et difficile, la réinsertion demande d'abord de travailler sur les séquelles physiques et psychologiques. Les enfants sont sortis du milieu des armes afin de reconstruire leur identité, de retrouver une dignité et avoir des perspectives d'avenir.

Des réfugiés de la guerre accueillant l'aide humanitaire américaine

Enfant soldat des troupes de Charles Taylor, dans une rue de Monrovia, en 2003

1847	Premier pays d'Afrique à accéder à l'indépendance
1980	Coup d'État de Samuel Doe
1989-2003	Guerre civile : Charles Taylor mène une rébellion contre le gouvernement.
1997	Charles Taylor élu président. Il quitte le pays en 2003 sous l'accusation de crimes contre l'humanité.
2005	Ellen Johnson-Sirleaf, première femme présidente élue en Afrique, toujours au pouvoir

La Côte d'Ivoire

Retrouver le vivre ensemble

Avec le pays sénoufo au nord-est, la zone forestière subtropicale du centre, les parcs nationaux comme celui de Taï à l'ouest, la lagune Ébrié sur la côte, la nature ivoirienne est d'une grande diversité. Abritant le premier port régional avec Abidjan qui fournit 65 % du budget de l'État, pays du footballeur Didier Drogba, des reggaemen Alpha Blondy et Tiken Jah Fakoly, du cinéaste Henri Duparc, du poète Frédéric Bruly-Bouabré, et du styliste Pathé'O qui habillait Nelson Mandela, la Côte d'Ivoire est aussi riche de sa culture. Depuis quinze ans, avec la disparition de son père historique Félix Houphouët-Boigny, le pays connaît une période de troubles sur fond de coups d'État et de racisme contre les étrangers. En 2013, plus de 11 000 combattants ivoiriens de la guerre civile ont déposé les armes et réintégré la vie civile.

Genèse de la guerre civile de 2002

La Côte d'Ivoire est l'un des plus grands pays d'accueil du continent avec une communauté étrangère de plus du quart de sa population, notamment burkinabé, qui a largement participé au « miracle économique » en pratiquant l'agriculture d'exportation. Mais la raréfaction des terres disponibles dès les années 1980, la loi excluant les étrangers de la propriété foncière (1998), le nouveau code électoral privant d'éligibilité le principal opposant politique de l'époque, Alassane Dramane Ouattara, conjugués à la diffusion de l'« ivoirité », créent des heurts violents entre communautés (Burkinabé et Krou ; habitants du Nord et Bété). Les populations du Nord se perçoivent comme des citoyens de seconde zone et, en 2002, une fraction armée du Nord tente de renverser le pouvoir de Laurent Gbagbo. L'opération est un échec, mais le pays est alors divisé : au Sud, le pouvoir légal du président Gbagbo et, au Nord, les « rebelles » des Forces nouvelles.

L'héroïsme de la reine Pokou

Née au début du XVIIIe siècle à Kumasi (actuel Ghana), Abraha Pokou est la nièce du roi des Ashanti. À la suite d'une querelle de succession, elle décide de fuir son pays vers l'ouest. Au moment de traverser le fleuve Comoé, la légende raconte que la déesse des Eaux lui demande de sacrifier son fils pour sauver son peuple. Ce qu'elle fait. Elle prononce alors « baouli » (l'enfant est mort), d'où est né le nom du peuple baoulé dont elle devient la reine. Ce geste héroïque est à jamais gravé dans l'inconscient collectif ivoirien.

Comment est née l'« ivoirité » ?

L'idée de départ consiste, en 1995, pour le président Henri Konan Bédié à trouver une théorie rassembleuse en exaltant les valeurs ivoiriennes. Mais l'« ivoirité » conçue par les intellectuels de son entourage, pour la plupart d'ethnie akan, va en fait être centrée sur la culture akan selon une logique d'exclusion. Les médias ivoiriens vont vite en tirer un sens ouvertement xénophobe. Les hommes du président commencent ainsi à opposer les « Ivoiriens de souche » aux « Ivoiriens de circonstance », et à dénoncer la « présence étrangère ». Les germes de la haine sont semés.

Manifestation de soutien au président Gbagbo

superficie : 322 462 km² | population : 20,5 millions | densité : 63,5 hab/km² | monnaie : franc CFA

MALI

BURKINA FASO

GUINÉE

Korhogo

Bandama

Bouaké

Comoé

YAMOUSSOUKRO

GHANA

Cavally

Daloa

Divo

LIBERIA

Sassandra

Abidjan

San-Pédro

Golfe de Guinée   200 km

| XVIIIe siècle | Premiers établissements français |
| 1893 | La Côte d'Ivoire devient colonie française. |

Port d'Abidjan

1960 : Félix Houphouët-Boigny président de la Côte d'Ivoire indépendante. Il inaugure deux décennies de « miracle économique », instaure le multipartisme en 1990 et permet l'organisation d'élections où les étrangers ont le droit de vote. Mais sa présidence connaît un haut niveau de corruption et, inventeur lui-même du terme de « Françafrique », il entretient les germes de ces réseaux politico-mafieux qui agissent dans l'ombre pour les intérêts français.

1993	Décès de Félix Houphouët-Boigny, Henri Konan Bédié président
2000	Laurent Gbagbo élu président
2002	Tentative de coup d'État. Les Forces nouvelles, opposées au pouvoir de Gbagbo, occupent la moitié Nord du pays.
2011	Alassane Dramane Ouattara élu président de la République, toujours au pouvoir

Ahmadou Kourouma (1927-2003)

Né à Boundiali, il est l'auteur de livres engagés qui dénoncent le régime de parti unique ; pour *Les Soleils des indépendances* (1968) il connaît la prison puis l'exil. Il obtient le prix Renaudot pour *Allah n'est pas obligé* (2000), prend position contre l'« ivoirité », et reste le premier à souligner que l'Afrique a une responsabilité dans son « malheur ».

Laveurs de linge de la forêt de Banco à Abidjan

La basilique de Yamoussoukro

Achevée en 1989 pour un montant de 150 millions d'euros, réplique de Saint-Pierre-de-Rome qu'elle dépasse de 17 m de hauteur, la basilique Notre-Dame-de-la-Paix est le plus grand bâtiment chrétien du monde. L'édifice, qui peut accueillir 18 000 personnes, a été érigé à la demande de Félix Houphouët-Boigny dans son village natal devenu capitale du pays.

Folie du cellulaire

Avec 10 % de leurs revenus consacrés aux communications téléphoniques, déjà neuf personnes sur dix équipées, les habitants, même les plus modestes, ont accès à la téléphonie mobile grâce à la baisse régulière des tarifs, rendue possible par l'extrême concurrence du marché.

Premier producteur mondial de cacao

Premier producteur de caoutchouc naturel du continent et septième mondial, le pays est le premier producteur mondial de cacao. Avec un million de tonnes par an soit 40 % du marché, le secteur fait vivre un tiers de la population. Mais les mauvaises conditions climatiques ont ralenti la récolte de 2008, fait chuter les salaires sans pour autant freiner la corruption endémique de la filière. C'est le cacao qui a permis au pays de devenir la locomotive économique de la région dans les années 1960-1970.

Le Ghana

Une leçon démocratique

Avec un paysage de savane au nord et de forêt au sud, le Ghana est surtout connu pour le *highlife*, sa musique des années 1950, et pour le lac Volta, un des plus grands lacs artificiels du monde. L'exploitation du barrage d'Akosombo a certes permis de faciliter les transports vers le nord et le traitement de l'aluminium mais ne fournit pas l'électricité prévue à l'ensemble de la population. Le pays assure un haut niveau d'éducation avec un taux de scolarisation primaire de 70 % et quatre grandes universités. Les traditions restent bien ancrées : les cérémonies funéraires ashanti peuvent durer plusieurs jours. Le Ghana s'est aussi fait connaître grâce à la personnalité charismatique de Kofi Annan, premier Noir africain à occuper le poste de secrétaire général de l'ONU et prix Nobel de la paix. Depuis les années 2000, le pays est un modèle de démocratie et cherche à réduire les dépenses publiques.

Groupe de jeunes écolières

Pèlerinage afro-américain

À la suite d'un test ADN déterminant leur origine ethnique, 10 000 touristes afro-américains partent chaque année en quête de leurs racines africaines en direction du Ghana.

La résistance du peuple ashanti

Au centre du pays, fort de longues traditions guerrières, le peuple ashanti devient un redoutable adversaire des colons britanniques. En 1896, le siège de Koumassi, la capitale du royaume, provoque la mobilisation des différents États ashanti autour de la reine mère Yaa Asantiwa. Organisant des campements et des palissades autour de la ville, préparant les 50 000 combattants, portant elle-même le sabre et le fusil, Yaa Asantiwa est, et reste dans les mémoires, l'âme de la résistance.

Le château Saint-George d'Elmina

Situé à environ 200 km à l'ouest d'Accra, plus ancien et plus grand des forts de la Côte-de-l'Or (Gold Coast), le château Saint-George d'Elmina est construit par les Portugais en 1482. D'abord centre de transit de l'or, il a très vite été au cœur de la traite atlantique. À l'apogée de ce commerce, plus d'un millier d'esclaves y étaient enfermés avant d'être embarqués pour les Amériques, par la « porte du non-retour » qui donne directement sur la mer.

De l'or à l'or noir

Deuxième producteur mondial de cacao et deuxième producteur d'or du continent, le pays a bénéficié de la flambée des cours des matières premières. Devenu producteur de pétrole en 2010, le Ghana a déjà atteint 115 000 barils par jour. L'objectif est, grâce à cette manne, de développer l'agriculture, notamment le riz, dans les zones fragiles du Nord, et d'atteindre le rang des pays à revenus intermédiaires en 2020.

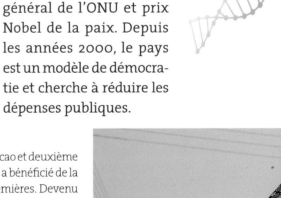

Procession d'Ashantis

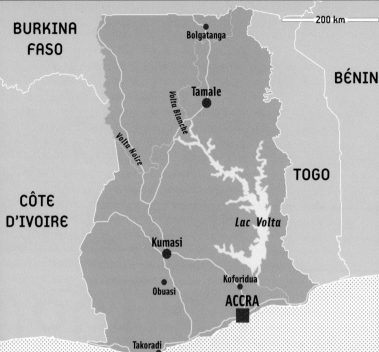

superficie : 238 537 km² population : 25,5 millions densité : 106,9 hab/km² monnaie : cedi

BURKINA FASO

Bolgatanga

BÉNIN

Tamale

Volta Blanche

Volta Noire

TOGO

CÔTE D'IVOIRE

Lac Volta

Kumasi

Koforidua

Obuasi

ACCRA

Takoradi

GOLFE DE GUINÉE

200 km

XVIᵉ siècle — Les Européens développent le commerce de l'or et de l'ivoire.

1625 — Début de la traite des esclaves

1695 — Formation du royaume ashanti

1901 — L'Ashanti devient colonie britannique.

1957 — Indépendance de la Gold Coast qui devient le Ghana. Kwame Nkrumah Premier ministre puis président de la République en 1960

2012 — John Mahama élu président de la République

La religion omniprésente

Le pays compte au moins quatre-vingts confessions chrétiennes, très souvent issues des États-Unis et parfois assimilées à des sectes. On trouve, par exemple, l'Église épiscopale sioniste, méthodiste et africaine, l'Église presbytérienne évangélique ou l'Église adventiste du septième jour. Très croyants, les Ghanéens pratiquent différents rites comme les camps de prière ou la cérémonie de « délivrance », une guérison miraculeuse obtenue par la chasse des mauvais esprits.

Le château Saint-George d'Elmina

1979 : Coup d'État militaire de Jerry Rawlings. Il veut lutter contre la corruption et rend le pouvoir aux civils la même année, refait un coup d'État en 1981, puis est élu démocratiquement en 1992 et 1996. Leader charismatique, gestionnaire progressiste mais autoritaire, il installe une démocratie constitutionnelle avec multipartisme et redresse l'économie avec l'aide des organismes financiers internationaux.

Kwame Nkrumah (1909-1972)

Né à Nkroful, il se forme au militantisme à l'université américaine, et fait accéder son pays, le deuxième d'Afrique noire, à l'indépendance. Théoricien du panafricanisme, il écrit un livre référence *L'Afrique doit s'unir*, et organise de nombreuses conférences panafricaines. En 1966, il inaugure le barrage d'Akosombo, symbole de sa politique économique.

Des chefs traditionnels « modernes »

Depuis quelques années, les chefs traditionnels et les reines mères ont pris la responsabilité de moderniser leurs propres institutions. Ils recouvrent ainsi leur autorité et sont les porte-parole de la collectivité pour que le gouvernement construise une route, ouvre un hôpital ou modernise une école. La Chambre des chefs, une assemblée regroupant des représentants élus, est susceptible de prendre part à toute question nationale, comme celle, délicate, de la propriété foncière.

Microfinance pour les pauvres

Dans les bidonvilles d'Accra, des associations de microfinance proposent des prêts très intéressants et des formules d'épargne à des personnes à très faible revenu qui n'ont pas accès aux banques classiques. Chaque membre s'engage à faire pression sur les éventuels mauvais payeurs. Les petits commerçants, souvent des femmes, savent tirer parti de ces petites sommes pour les réinvestir et rembourser leurs traites mensuelles.

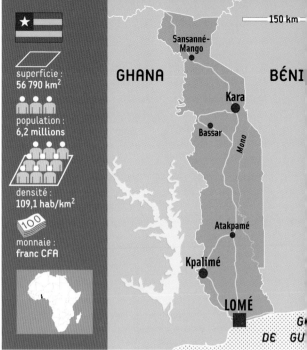

superficie :
56 790 km²

population :
6,2 millions

densité :
109,1 hab/km²

monnaie :
franc CFA

Le Togo

Vers la bonne gouvernance ?

Petit pays, le Togo a su préserver l'originalité de sa nature avec les arbres géants de la région de Kpalimé (flamboyants, irokos, yuccas), de ses coutumes (cérémonies vaudoues) et de ses villages, telles les constructions à étages en banco (pisé) des Tambermas qui ressemblent à de petites fortifications. La colonisation allemande, teintée de racisme, recourt au travail forcé et se heurte à de fortes résistances, avec notamment la révolte des Kabyés (1890). Après trente-sept ans sous le joug du dictateur Eyadema multipliant les violations des droits de l'homme et s'appuyant sur l'armée, le pays connaît depuis 2007 une timide démocratie. En 2012, le pouvoir a été fortement contesté par des manifestations de rue réprimées par de nombreuses arrestations. Près des deux tiers de la population vivent en dessous du seuil de pauvreté.

Guérisseur avec un fétiche au marché d'Akodessewa

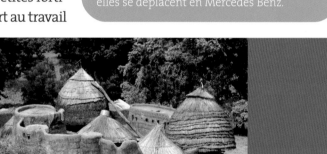

Les Mamas-Benz

Ces commerçantes, qui ont fait les beaux jours du marché de Lomé, tiennent le commerce des pagnes, et ont ce surnom car elles se déplacent en Mercedes Benz.

Maison fortifiée des Tambermas

1884	Protectorat allemand, puis sous mandat français en 1922
1960	Indépendance, Sylvanus Olympio président de la République, assassiné en 1963
1967	Coup d'État d'Étienne Gnassingbé Eyadema
1992	Grève générale, tentative d'assassinat de l'opposant Gilchrist Olympio (fils de Sylvanus)
2005	Décès d'Étienne Gnassingbé Eyadema, élection à la présidence de son fils Faure Gnassingbé, toujours au pouvoir

Une économie moribonde

L'économie connaît une détérioration progressive depuis le début de 1990. Les denrées agricoles comme le café, le cacao et surtout le coton, qui représentent trois quarts des emplois du pays, sont touchées, comme le phosphate, par la chute de la production, la baisse des cours internationaux et la vétusté des infrastructures. Seul le ciment, principal poste d'exportation, tire son épingle du jeu. Unique port en eau profonde d'Afrique de l'Ouest, Lomé, modernisé, est un des plus opérationnels de la région.

Ferveur religieuse

Si les Togolais se rendent nombreux à la messe du dimanche, ils ne dévouent pas leur foi à la seule Église catholique. « Temple des chrétiens célestes », « Force d'intervention rapide de Dieu »... une myriade de nouvelles religions, de pasteurs improvisés, de sectes et même d'églises protestantes américaines importées du Ghana attirent de plus en plus d'adeptes et promettent réussite et guérison.

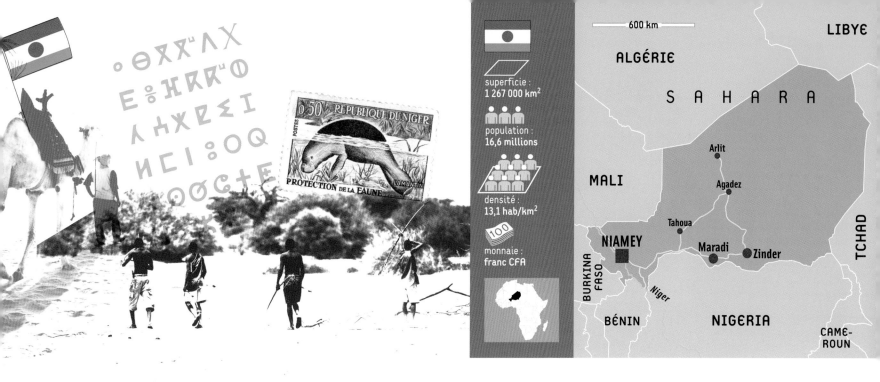

superficie :
1 267 000 km²

population :
16,6 millions

densité :
13,1 hab/km²

monnaie :
franc CFA

Le Niger

La menace de la famine

Avec les deux tiers du pays composés de désert et le reste couvert par un Sahel semi-désertique, le Niger, qui vit de l'agriculture et de l'élevage, fait face à la déforestation, aux invasions de criquets et à une grande pauvreté, souvent à la famine. Le pays offre des paysages remarquables : dunes et cimetières de dinosaures du Ténéré, affleurements de marbre bleu sortis des sables ocre et art rupestre du massif de l'Aïr, ancienne cité caravanière transsaharienne d'Agadez avec le fameux minaret pyramidal de sa mosquée en banco (pisé). Successivement sous contrôle de l'empire du Kanem-Bornou, de l'empire du Mali, puis de l'empire Songhaï pour être colonisé par la France dès la fin du XIXᵉ siècle, le Niger est une ancienne plaque tournante du commerce d'esclaves (autour de Zinder). On estime qu'il existe encore de nos jours près de 43 000 esclaves en captivité au pays !

Un concours de beauté masculine

Lors de la fête du Gerewol de septembre chez les pasteurs nomades peuls Wodaabe, qui ont des traits fins presque féminins, les célibataires se maquillent, teignent leurs lèvres en noir pour faire ressortir leurs dents, tressent leurs cheveux, se parent de bijoux et dansent pour séduire leur future épouse. En plus de son élégance, l'homme doit savoir faire sourire, ou rire, une femme. Et c'est elle qui choisit son élu pour une nuit ou... pour la vie.

Gisements stratégiques

Cinquième producteur et troisième exportateur mondial d'uranium, ce secteur fait vivre près de 200 000 personnes. L'ouverture prochaine de la mine d'Imouraren (près d'Agadez), la plus grande du monde, devrait permettre un doublement de la production. Mais cette extraction ne profite pas aux populations touareg locales, et, comme cela a été montré pour la région d'Arlit, l'exposition aux radiations entraîne de graves maladies comme cancer ou tuberculose.

> **Quand les Noirs singent les Blancs**
> Dans *Les Maîtres fous* (1954), le Français Jean Rouch, « père du cinéma nigérien », montre, par un rite de possession, comment l'ethnie haoussa parodie la domination coloniale.

Homme peul lors
de la fête du
Gerewol

La Grande
Mosquée
d'Agadez

1921	Le pays devient colonie française, les Français sont présents depuis 1897.
1960	Indépendance
1990-1995	Rébellion touareg conclue par un accord de paix
2007	Reprise de la rébellion touareg
2011	Mahamadou Issoufou, élu président de la République, axe son programme sur les ressources naturelles.

Le Bénin

Une tradition mystique

Berceau du vaudou, autrefois puissant royaume du Dahomey, surnommé à l'époque coloniale « Quartier latin de l'Afrique » parce qu'il était un vivier d'intellectuels et de cadres de l'Afrique occidentale française, le Bénin a surtout rayonné au début des années 1990 avec la mise en place d'une Conférence nationale de passage à la démocratie, largement reprise comme modèle sur le continent. Aujourd'hui, les enjeux sont plus économiques. Le secteur du coton fait vivre trois millions d'habitants, et le port de Cotonou reste une importante source de devises. Si le Bénin reste un pays pauvre, son président Thomas Yayi Boni souhaite lutter contre la corruption, mieux gérer les dépenses publiques, moraliser la vie politique et a très tôt subventionné les produits de première nécessité. Malgré cela, son pouvoir a vu la liberté de la presse reculer.

Le pays du vaudou

Interdit par le régime en 1972, c'est en 1996 que l'État reconnaît le vaudou (« ce qui est caché ») comme une religion, alors qu'il compte des millions d'adeptes au pays. Ce culte animiste est basé sur des fétiches (potion ou objet imprégné du pouvoir de l'esprit) et des sacrifices. Les cérémonies de relations avec les divinités sont marquées par des danses allant jusqu'à la transe, qui permet de conduire à la libération spirituelle et au cours de laquelle les esprits se « glissent » dans le corps des croyants.

Circoncision tardive

Chez les Wamas, une ethnie du Nord, la circoncision se pratique à partir de 28 ans. Les hommes qui montrent le moindre signe de peur préfèrent fuir de honte le village.

Une presse moins libre

Souvent donné en exemple en matière de liberté de la presse en Afrique de l'Ouest, le pays voit cette libéralisation reculer. Financement obscur des médias par des politiques, interpellations de reporters, mainmise gouvernementale sur les télévisions fragilisent les conditions de travail des journalistes. Sans compter qu'ils cumulent les mêmes problèmes que leurs voisins du continent : manque de moyens et de formation, journalisme alimentaire (seuls 40 % des journalistes ont une formation professionnelle).

Venise de l'Afrique

Au sud du pays, sur le lac Nokoué et à plusieurs kilomètres de ses berges, le village lacustre de Ganvié est composé de huttes en bambou construites sur pilotis en bois à 2 m de la surface du lac. Structuré en rues et quartiers, le village est accessible en pirogue : marché, bureau de poste, centre de santé, restaurants… Le peuple toffinou (quelque 30 000 personnes) vit surtout de la pêche ; il s'y est réfugié au XVIIe siècle pour fuir les chasseurs d'esclaves.

Culte vaudou : cérémonie dans un village du centre du pays

Niger

Kandi

Natitingou

Djougou

Parakou

Ouémé

Okoara

TOGO

NIGERIA

Mono

Abomey

PORTO NOVO

Cotonou

Golfe de Guinée

superficie :
112 622 km²

population :
9,3 millions

densité :
82,5 hab/km²

monnaie :
Franc CFA

« Zemidjan », en tee-shirt jaune, dans les rues de Cotonou

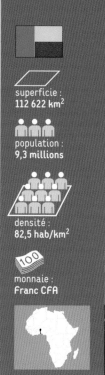

Olympe Bhêly-Quenum (1928)

Né à Donukpa, écrivain, journaliste et diplomate, il fonde les journaux *La Vie africaine* et *L'Afrique actuelle*, et publie *Un piège sans fin* (1960). Il cherche à la fois à démythifier la nostalgie d'une Afrique traditionnelle et, en même temps, s'attache à préserver certaines valeurs du continent comme le village des origines, l'initiation, l'animisme à travers le vaudou.

Les amazones du Dahomey

Sans doute né à la fin du XVIIᵉ siècle, c'est au XIXᵉ, sous le règne du roi du Dahomey Ghézo, que le corps des amazones est organisé militairement. Captives de guerre affranchies, ces quatre mille femmes artilleurs, archers et fusiliers sont dévouées au roi et mobilisées en permanence. Fierté du royaume, toujours parées d'amulettes protectrices, elles font montre d'un courage et d'une intrépidité sans faille et inspirent la terreur à leurs ennemis.

Paradoxe de l'économie informelle

Longtemps considéré comme un fléau, le secteur informel, cette économie parallèle, précaire et invisible, partout présente en Afrique, procure jusqu'à 67 % du PIB du pays et emploie plus de 260 000 personnes. Ainsi dans toutes les rues se vendent des bouteilles en verre remplies d'essence, importées en contrebande du Nigeria voisin. Un commerce illicite qui génère, chaque année à lui seul, plus de 34 milliards de francs CFA injectés dans la consommation nationale.

Premières pluies de la saison

Milieu du XVIIᵉ siècle	Fondation du royaume d'Abomey
Fin XVIIᵉ siècle	Début de la traite négrière, les rois dahoméens s'enrichissent par le commerce des esclaves.
1894	Colonie du Dahomey sous contrôle de la France
1960	Indépendance
1972	Coup d'État militaire de Mathieu Kérékou, il garde le pouvoir jusqu'en 1991, puis est élu président de la République en 1996 et reste dix ans aux affaires.
2006	Élection du président Thomas Yayi Boni, toujours au pouvoir

Les chauffeurs de moto-taxi

Ils sont environ 200 000 dans le pays dont près de la moitié à Cotonou, la capitale économique, et assurent le moyen de transport le plus rapide (mais le plus dangereux) face aux embouteillages monstres. La profession est organisée par deux puissants syndicats. Les politiques hésitent donc à légiférer, car une grève des *zemidjan* (« fais vite » en langue fon) paralyse aussitôt le pays.

1990 : Première Conférence nationale du continent. À la suite d'une grève générale des fonctionnaires, le président Kérékou accepte l'organisation d'une conférence des forces vives de la Nation. En une semaine, l'opposition et le pouvoir parviennent à un accord qui pose les bases de la démocratie : rupture avec le marxisme-léninisme, restriction des pouvoirs du président, instauration du multipartisme.

Le Nigeria

Un colosse aux pieds d'argile

Pays le plus peuplé d'Afrique et l'un des plus vastes, l'anglophone Nigeria compte cinq cents langues, deux cent cinquante ethnies, 50 % de musulmans, 40 % de chrétiens et trente-six États organisés en république fédérale. Souvent gouverné par des militaires, le pays a hérité des puissants royaumes du Kanem, d'Oyo et du Bénin. De grands écrivains engagés sont natifs du Nigeria : Chinua Achebe, auteur de la dénonciation du colonialisme *Le monde s'effondre* (1958), Ken Saro-Wiwa qui a accusé, au prix de sa vie, de « racisme écologique » une compagnie pétrolière et Wole Soyinka, prix Nobel de littérature en 1986, passé maître dans la satire de l'Afrique post-coloniale. Les compagnies pétrolières internationales et les dirigeants sont aujourd'hui les premiers bénéficiaires des ressources en hydrocarbures. Malgré cela, ce géant du pétrole tombe régulièrement en panne de carburant et doit l'importer !

Violence du pétrole

Premier producteur de brut du continent (90 % des devises du pays), c'est la région du delta du Niger qui concentre les réserves. L'armée protège les compagnies pétrolières contre les actions des populations locales, qui sont souvent exclues de leur terre, toujours aussi pauvres et ne bénéficient pas de cette manne. Des milices sabotent ainsi régulièrement les installations et kidnappent les salariés expatriés des multinationales.

La cité-État : un modèle original

Située au sud-ouest du pays, au cœur du pays Yoruba, la ville d'Oyo est fondée à la fin du XIVe siècle sur le modèle de la cité-État : indépendance économique et politique de chaque cité mais soumission religieuse à la cité-État mère d'Ifé. Connue pour sa cavalerie et son art militaire, Oyo commerce avec les cités haoussa et l'empire Songhaï, leur fournit huile de palme, noix de cola, igname et produits d'artisanat en échange de minerais, ivoire, sel et esclaves destinés aux Européens dès la fin du XVIe siècle.

Baptême gustatif

Pour son baptême, le bébé yoruba doit goûter la noix de cola pour la fortune, l'eau pour la pureté, l'huile pour la santé, le sel pour l'intelligence, le miel pour la joie, et une liqueur pour la prospérité.

La cyber-arnaque

Si l'on ne compte plus les trafics transfrontaliers, si l'on connaît le niveau de corruption considéré parmi les plus élevés du monde (139e sur 176 selon l'ONG Transparency International), les Nigérians sont aussi passés maîtres en matière de cyber-arnaque. Appelées « scams 419 », du nom de l'article de loi qui punit ce délit, ces escroqueries sur Internet, qui permettraient d'empocher des millions de dollars, commencent toujours par une demande d'aide financière en garantissant à l'internaute crédule une fortune... qui n'arrive jamais.

Exploitation du gaz à Bonny Island, dans le delta du Niger

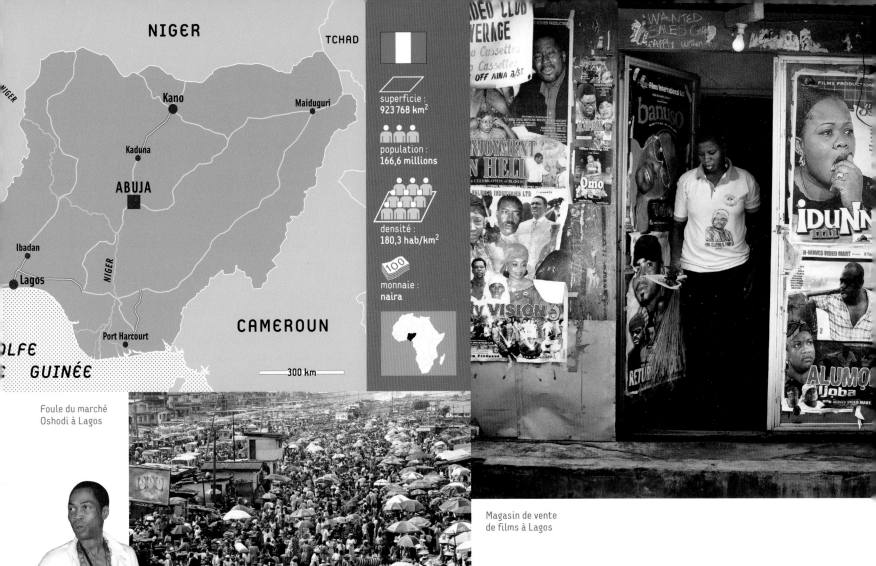

NIGER

TCHAD

Kano

Maiduguri

Kaduna

ABUJA

NIGER

Ibadan

Lagos

CAMEROUN

Port Harcourt

GOLFE DE GUINÉE

300 km

superficie :
923 768 km²

population :
166,6 millions

densité :
180,3 hab/km²

monnaie :
naira

Foule du marché
Oshodi à Lagos

Magasin de vente
de films à Lagos

Quand Nollywood dépasse Hollywood

Avec près de neuf cents longs métrages et un secteur de 300 000 employés, Nollywood, l'industrie cinématographique nigériane, arrive en deuxième position mondiale après le millier de films indiens de Bollywood. Faiblesse des coûts de production, format vidéos plus facile à commercialiser, tournage rapide et en langues locales pour toucher un plus large public, le résultat n'est pas toujours au rendez-vous.

Fela Anikulapo-Kuti (1938-1997)

Né à Abeokuta, musicien, inventeur du style afrobeat, « marié » aux vingt-sept danseuses de son groupe, il est aussi activiste politique et crée à Lagos, la Kalakuta Republic, une communauté rebelle fondée sur la liberté. Panafricaniste, il dénonce les dictateurs africains, la mainmise des multinationales sur le continent, et fait plusieurs séjours en prison.

1900 _ Colonie britannique

1956 _ Découverte du premier champ de pétrole

1960 _ Indépendance

1995 _ Le pays est exclu du Commonwealth pendant deux ans suite à la pendaison de l'écrivain militant Ken Saro-Wiwa.

2000 _ Affrontements entre chrétiens et musulmans dans les États du Nord (plus de 10 000 morts)

2010 _ Goodluck Jonathan élu président de la République, toujours au pouvoir

1967-1970 : Guerre du Biafra. Dirigés par le peuple Ibo, victime de ségrégation ethnique, trois États du Sud-Est, qui rassemblent les quatre cinquièmes des réserves pétrolières du pays, font sécession et proclament la république du Biafra. Le gouvernement fédéral déclenche alors une brutale répression et décide le blocus du Biafra qui aboutit à une terrible famine (un million de morts). Ce conflit a vu la naissance des interventions humanitaires.

Lagos, ville chaotique

Deuxième ville du continent avec plus de 15 millions d'habitants, capitale économique, Lagos cumule les coupures quotidiennes de courant, les tas d'ordures non ramassées, les files d'attente devant les stations-service, les embouteillages monstres et les violences arbitraires de la police. Avec une croissance incontrôlée et une densité de 18 000 habitants au km², le sentiment d'oppression est intense.

Pionniers de la conservation d'espèces

Estimée à quelque trois mille individus vivant dans la montagne d'Afi, entre le sud-est du Nigeria et le Cameroun voisin, la population de singes drills est l'espèce la plus menacée du continent du fait notamment du braconnage. Le Drill Ranch, une ONG locale, a engagé un programme de reproduction qualifié : de cinq orphelins au départ, le centre a pu reproduire en captivité la troisième génération avec aujourd'hui deux cent dix drills vivant sur 9 ha d'espace naturel.

Adhérer ou résister à la mondialisation ?

À côté des millions de microentreprises du secteur informel qui se battent pour la survie et sont pourvoyeuses d'emplois, le secteur économique formel se développe à grande vitesse.

Réussite des entrepreneurs africains

Dans le domaine aurifère, dans l'import-export, dans la banque et dans tous les secteurs en poupe, on trouve de grands hommes et de grandes femmes d'affaires qui font partie du capitalisme mondial. Issus en général du commerce et du secteur informel, ils participent de cette « éthique » de la réussite à l'africaine : un mélange de légalité et de codes occidentaux, de conciliation avec les autorités et d'obligation de « remerciements » financiers à certains commissionnaires. Leurs qualités : expérience de terrain, adaptabilité à un contexte mobile, fiabilité du réseau y compris ethnique ou religieux, flexibilité pour passer du formel à l'informel, facilité de compréhension du maquis bureaucratique... Selon le classement Forbes 2013, ils sont vingt milliardaires africains à figurer parmi la liste des hommes les plus riches du monde, dont le Sud-Africain Nicky Oppenheimer, héritier de la multinationale de diamant De Beers, et le Nigérian Aliko Dangote, présent dans le ciment, l'agroalimentaire, et le pétrole.

La dette est déjà remboursée !

Dans le contexte des années 1950 – le partage du monde entre deux blocs dominés par les États-Unis et l'URSS – les puissances européennes cherchent à préserver leurs intérêts géopolitiques. L'aide au développement en devient le parfait instrument et elles n'ont donc rien à gagner à mettre en question la légitimité de pouvoirs politiques africains corrompus. Une fois l'aide octroyée, elle fait en effet l'objet de très importants détournements de fonds par certains dirigeants africains. De plus, pour faire ses analyses et évaluations, l'aide recourt à des opérateurs européens (bureaux d'études, experts, ONG) dont on sait qu'ils s'accaparent au moins 25 % du montant de l'aide. Des sommes considérables ont ainsi été prêtées avec intérêts, mais leur remboursement, très lourd, a vite représenté jusqu'à 15 % des recettes d'exportation de chaque pays emprunteur : un remboursement qui limite donc fortement les dépenses publiques. Au final, l'aide bénéficie peu aux populations et, aujourd'hui, l'Afrique rembourse plus d'argent au titre de la dette qu'elle n'en reçoit en aide publique !

Le Nigérian Aliko Dangote, l'homme le plus riche du continent selon Forbes en 2013

L'Afrique peut-elle se passer du développement ?

S'il n'y a, bien entendu, pas de « blocages culturels » ou de « mentalités archaïques » qui empêcheraient les Africains d'accéder au développement, les populations du continent sont-elles pour autant condamnées à se conformer au modèle économique dominant ? Les propositions des opérateurs du développement, toujours issues des laboratoires de pensée des pays du Nord, sont la plupart du temps plaquées et très éloignées des réalités de terrain. À des populations qui en sont souvent à gérer des logiques de survie, est-il raisonnable d'imposer un développement « autocentré », « participatif », « intégré », des privatisations et un retrait de l'État ? Les sociétés africaines ont toujours été « modernes » en ce sens qu'elles ont toujours su emprunter aux autres civilisations et faire preuve d'originaux syncrétismes, y compris à l'égard des pays colonisateurs. Mais, à travers ce « retard de développement », ce qu'elles semblent refuser est sans doute le nivellement imposé par la modernisation capitaliste : destruction du lien social, apologie de l'individualisme, grignotage des spécificités culturelles.

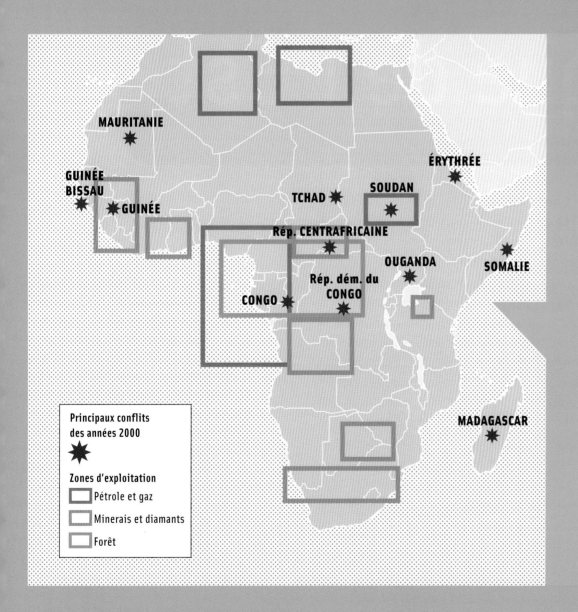

Le continent le plus riche du monde

En plus de 9,5 % de réserves mondiales de pétrole, l'Afrique contient 30 % des réserves mondiales estimées en minerais. Elle produit jusqu'à plus de 60 % du platine et des diamants, ainsi que plus de 25 % de l'or et du tantale. C'est l'Afrique du Sud qui contribue à plus de 50 % de la production africaine en minerais. Si le partage des richesses se fait si peu au bénéfice des populations locales, c'est d'abord du fait de la très grande corruption de certains gouvernants africains qui détournent ces revenus pour leur propre compte ou celui de leur clan. Et ensuite du fait des conditions drastiques d'extraction imposées par les grandes multinationales du secteur minier qui se réservent une part substantielle des bénéfices, et peuvent corrompre États ou mouvements rebelles pour s'assurer leur approvisionnement. De plus, pour financer leur lutte armée, les mouvements rebelles de nombreux pays peuvent, par exemple, extraire et vendre eux-mêmes le diamant. Et, pour les stopper, les régimes en place utilisent les mêmes moyens en achetant des armes avec des diamants ou du pétrole. C'est un cercle vicieux sans fin pour les deux parties belligérantes. Tout le monde a donc intérêt à ce que les conflits s'enlisent.

L'Afrique de l'Est

Cette région connaît depuis des millénaires des influences arabe et asiatique. Avec le rôle de l'Égypte antique puis le rayonnement de l'Éthiopie, suivis du contrôle des commerçants arabes swahilis, l'Afrique de l'Est bénéficie de l'écriture, de l'État centralisé, de l'essor des villes et des comptoirs. Dès le VIIIe siècle, les trois principaux commerces sont l'ivoire, la culture du girofle et la traite des esclaves en direction du Moyen-Orient. La zone des Grands Lacs reste fortement marquée par le « bricolage » ethnique de la période coloniale dont l'ultime manifestation a été le génocide rwandais de 1994. Aujourd'hui, malgré les critiques internationales fondées dont il fait l'objet, le Soudan est devenu une puissance régionale majeure grâce à son pétrole, mais la création du Soudan du Sud en 2011, avec lequel les relations restent très tendues, vient fragiliser la relative stabilité régionale. S'appuyant sur leur solidité politique et leur conversion à l'économie libérale, certains États « secondaires » cherchent à séduire avec succès les politiques et les investisseurs occidentaux (Éthiopie, Ouganda).

SOUDAN

ÉRYTHRÉE

DJIBOUTI

KHARTOUM

ASMARA

DJIBOUTI

ADDIS-ABEBA

SOUDAN DU SUD

ÉTHIOPIE

DJOUBA

MOGADISCIO

OUGANDA

KENYA

KAMPALA

SOMALIE

NAIROBI

DODOMA

TANZANIE

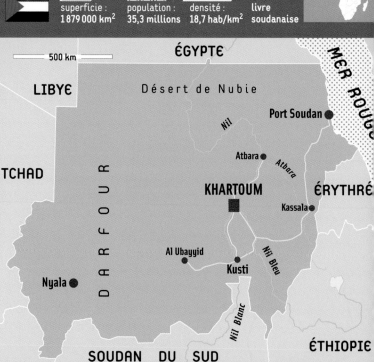

ÉGYPTE

500 km

LIBYE

Désert de Nubie

MER ROUGE

Port Soudan

Nil

TCHAD

Atbara • Atbara

KHARTOUM

ÉRYTHRÉ

Kassala

D A R F O U R

Al Ubayyid

Nil Bleu

Kusti

Nyala

Nil Blanc

SOUDAN DU SUD

ÉTHIOPIE

Premier producteur mondial de gomme arabique

Avec 80 % de la production, le pays est le premier producteur mondial de cette substance qui entre notamment dans la composition d'une célèbre boisson gazeuse.

Khartoum : marché sur l'île Tuti au milieu du Nil. À l'arrière-plan, la tour al-Fatih, un hôtel 5 étoiles

Le Soudan

L'enjeu stratégique du pétrole

Pendant l'Antiquité, les dynasties des pharaons noirs, dominent les royaumes de Kerma, de Napata et de Méroé et vont régner sur le trône d'Égypte pendant un siècle (dynastie koushite). Royaume indépendant du XVIᵉ au XIXᵉ siècle, le Soudan a longtemps fondé son économie sur l'esclavage. Plus grand pays d'Afrique sub-saharienne, essentiellement agricole, le Soudan doit faire face à l'avancée du désert qui a progressé de plus de 100 km vers le sud en cinquante ans. Devenu exportateur de pétrole en 1999, le pays attire les convoitises des grandes compagnies multinationales. Datant de l'indépendance, une rébellion au sud du pays résiste d'abord à l'islamisation et à l'arabisation par une guerre civile. Un conflit qui débouche par la partition du Soudan du Sud en 2011. Et qui fait perdre au Soudan 75 % de ses ressources pétrolières.

L'université féminine de Khartoum

En 1966, Yusuf Badri crée pour les femmes l'université Al Ahfad, apolitique, laïque, anglophone et privée. On y enseigne la médecine, la psychologie, l'éducation, la nutrition, le management et les techniques agricoles. L'université permet également aux 7 500 jeunes soudanaises inscrites de vivre leur vie étudiante sans subir la pression du monde masculin, encore très patriarcal au Soudan.

Le conflit du Darfour

Les provinces du Darfour représentent une région, longtemps marginalisée par le pouvoir central de Khartoum, sujette à de vieux conflits fonciers entre agriculteurs sédentaires et éleveurs nomades, où la compagnie pétrolière nationale chinoise détient des concessions importantes. En 2003, quand la rébellion pour réclamer un partage plus équitable des ressources éclate, l'État organise le « nettoyage » ethnique des populations noires. Le bilan des violences et famines aurait fait près de 300 000 morts et 2 millions de déplacés.

Darfour : détachement de soldats de la force de la Mission de l'Union africaine au Soudan (Amis) déployés pour protéger les civils

2500 av. J.-C.	Royaumes de la Nubie antique
747 av. J.-C.	Le royaume de Koush conquiert l'Égypte et fonde la XXVᵉ dynastie.
1899	Condominium anglo-égyptien
1956	Accession à l'indépendance, début de la rébellion au sud
2011	Partition du Soudan du Sud

superficie :
644 000 km²

population :
10,3 millions

densité :
16 hab/km²

monnaie : livre
sud-soudanaise

Le Soudan du Sud

Un jeune État fragile

En juillet 2011 voit le jour le 54ᵉ État du continent et le 193ᵉ pays au monde. Dès sa création naissent de nombreuses zones contestées le long des 1 800 km de frontières communes avec le Soudan, avant tout parce qu'elles renferment la majeure partie des champs pétrolifères exploités. Aujourd'hui, le pays continue à extraire du pétrole avec un rendement de 200 000 barils par jour, mais le Soudan qui détient les oléoducs bloque régulièrement le transit ou exige des prix de transport trop élevés. Les populations du Sud héritent d'une marginalisation issue de la période coloniale, où elles étaient considérées comme des peuples « sauvages » par les Anglais. L'espoir d'un apaisement entre les deux Soudans pourrait venir du modèle des éleveurs de vaches. Pour la migration annuelle de leurs millions de têtes de bétail, ce sont en effet les seuls à passer du Nord au Sud, sans qu'aucune violence ne soit constatée.

Le plus grand marécage du monde

Situé au sud du pays, zone de 300 000 km² en période de hautes eaux, avec des marais permanents couvrant 15 000 km², le Sudd est une cuvette marécageuse avec de nombreux écosystèmes. C'est un sanctuaire écologique, habitat de poissons, d'oiseaux et d'animaux tels que la gazelle de Mongalla, l'éléphant d'Afrique et le bec-en-sabot du Nil. Le lieu est aussi une source d'eau et d'activités économiques pour les Dinka, Nuer et Shilluk, peuples qui pratiquent la transhumance. Mais le site est menacé par la prospection pétrolière.

La résistance jusqu'à l'indépendance

Chrétienne et animiste, la région du sud du Soudan s'est toujours opposée aux vagues d'islamisation du pouvoir central de Khartoum. En 1983, quand celui-ci veut imposer la charia dans tout le pays, John Garang de Mabior crée l'Armée populaire de libération des peuples du Soudan. La guerre civile fait 1,5 million de morts et 4 millions de déplacés, puis un accord de paix est signé en 2005 avec la suppression de la charia au sud. Mais en 2011, lors du référendum d'autodétermination, la quasi-totalité des Sud-Soudanais se prononce en faveur de l'indépendance.

Un nouveau drapeau

Que signifient les couleurs du drapeau national ? Le noir représente l'identité du peuple, le rouge, le sang versé dans la lutte pour l'indépendance, et l'étoile jaune, l'optimisme.

Célébration de la naissance du Soudan du Sud en juillet 2011

Un homme du peuple dinka dans la région marécageuse du Sudd

1899	Condominium anglo-égyptien
1956	Indépendance du Soudan, début de la rébellion du Sud
1983	Relance de la rébellion contre l'État central du Nord
2011	Création de l'État du Soudan du Sud
2013	Guerre civile pour le contrôle du pétrole

L'Éthiopie

Seul pays d'Afrique jamais colonisé

Territoire de hauts plateaux où le Nil Bleu, les fleuves du Kenya et de la Somalie prennent leurs sources, et parcouru de rivières et de lacs, l'Éthiopie est un véritable château d'eau. Si le pays exporte café, thé, épices et fleurs, il reste néanmoins une nation pauvre. Addis-Abeba héberge le siège de l'Union africaine, mais cette marque panafricaine n'empêche pas le pays d'être impliqué dans deux conflits. Dans la province de l'Ogaden, l'armée mène des opérations contre un mouvement

Les «visages brûlés»

Le nom Éthiopie, qui vient du grec *aethiops* «hommes aux visages brûlés», désignait l'Afrique noire au sud de l'Égypte.

indépendantiste. Avec l'Érythrée, la guerre, interrompue depuis 2000, pourrait reprendre car l'Éthiopie n'est pas satisfaite des conclusions du rapport de l'Onu sur le tracé des frontières. Au niveau international, le pays est reconnu pour l'excellence de ses athlètes : Abebe Bikila, vainqueur au marathon des jeux Olympiques (1960, 1964) et Hailé Gébrésélassie, champion olympique du 10 000 m (1996, 2000).

Une des premières nations chrétiennes au monde

Du Ier au Xe siècle, Axoum est la capitale du royaume avec comme premier roi Ménélik, fils selon la légende de la reine de Saba et du roi Salomon. Les Coptes égyptiens y installent un royaume chrétien au IVe siècle. L'Église d'Éthiopie fait ensuite face à l'expansion de l'islam, puis instaure une monarchie absolue gouvernée par un empereur appelé négus au XVe siècle. À partir de 1855, les empereurs Théodoros II, Ménélik II puis Hailé Sélassié, le dernier d'entre eux, contribuent à réunifier le territoire.

Les églises de Lalibela

Vers 1200, le roi Lalibela aspire à fonder une nouvelle ville sainte, une «Jérusalem noire», et fait construire les premières églises monolithes taillées à même le rocher. Les douze monuments de la cité monastique sont en tuf de couleur rouge, façonnés comme de véritables églises et communiquent entre eux par d'étroits tunnels. La tradition de creuser des églises dans le roc se perpétue aujourd'hui.

Récolte de grains de café

Le coureur Hailé Gébrésélassie

Victoire sur la mondialisation

Principale ressource à l'exportation, arabica naturel, le café fait vivre environ 15 millions d'habitants. Depuis 2007, la multinationale Starbucks, plus grand vendeur de café éthiopien aux États-Unis, reconnaît le droit de propriété de l'Éthiopie sur ses marques de cafés grands crus : Sidamo, Harar et Yirgacheffe. Les petits producteurs peuvent désormais faire de plus grands bénéfices. Et le géant américain s'engage à vendre ces cafés sans les mélanger avec d'autres variétés.

superficie : 1 104 300 km²
population : 86,5 millions
densité : 78,3 hab/km²
monnaie : birr

Église Saint-Georges à Lalibela

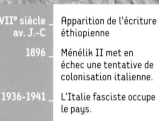

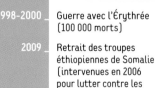

VIIᵉ siècle av. J.-C	Apparition de l'écriture éthiopienne
1896	Ménélik II met en échec une tentative de colonisation italienne.
1936-1941	L'Italie fasciste occupe le pays.

1942 : Le pays redevient indépendant sous le règne de Hailé Sélassié (1930-1974)
Empereur de 1930 à 1936, puis de 1941 à 1974, il contribue à construire un État centralisé, à maintenir un relatif équilibre entre les composantes régionales et ethniques du pays, à fonder l'OUA et à se rapprocher des États-Unis. Mais il ne réussit pas à moderniser le système éducatif et à modifier l'inégal système foncier.

1998-2000	Guerre avec l'Érythrée (100 000 morts)
2009	Retrait des troupes éthiopiennes de Somalie (intervenues en 2006 pour lutter contre les islamistes)
2012	Hailemariam Desalegn, Premier ministre, nouvel homme fort du pays

Ménélik II (1844-1913)

Né à Ankober, négus en 1889, stratège militaire doué de génie diplomatique, il pratique une politique d'expansion territoriale au sein du pays pour contrer les visées des Occidentaux, et fait de l'Éthiopie le seul État indépendant d'Afrique durant l'époque coloniale. Il modernise le pays avec la création de ministères, d'écoles, d'hôpitaux, et d'une ligne de chemin de fer reliant Addis-Abeba à Djibouti.

La communauté rasta de Shashamane

À quelque 250 km de la capitale vit une petite communauté rastafarie jamaïcaine sur une superficie de 50 ha donnée en cadeau par l'empereur Hailé Sélassié à partir de 1961. Le rastafarisme devient un mouvement religieux inspiré des écrits du Jamaïcain Marcus Garvey, qui prône le retour des Noirs d'Amérique sur leur terre africaine. L'Éthiopie fait ainsi figure de nouvelle « terre promise » pour ce mouvement souhaitant fuir le monde occidental, vivant en marge de la société et épris d'un grand désir de liberté.

Un million de morts de faim en 1984

Chaque année, le pays doit trouver une assistance alimentaire pour près de six millions d'habitants en situation de malnutrition aiguë. Famine due à la sécheresse, à l'absence d'un réseau de routes pour acheminer les denrées, à l'augmentation du prix des matières premières, au manque d'accès des paysans à la terre et au crédit ainsi qu'au manque de volonté politique des gouvernants.

Berceau de l'humanité

L'origine africaine de l'homme située en Éthiopie est confirmée par les travaux des paléontologues, des linguistes et des généticiens. Découverts près du village de Herto, en pays afar, à 230 km au nord-est d'Addis-Abeba, des crânes fossilisés datés d'environ 160 000 ans ont été qualifiés de plus anciens restes connus au monde de l'Homme moderne. C'est aussi dans la vallée de l'Omo qu'a été retrouvée Lucy, un australopithèque *afarensis* de 3,3 millions d'années.

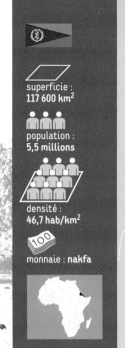

superficie :
117 600 km²

population :
5,5 millions

densité :
46,7 hab/km²

monnaie : nakfa

SOUDAN

ARABIE SAOUDITE

MER ROUGE

Keren
Massaoua · *Îles Dahlak*
ASMARA

YÉMEN

Désert Danakil

Assab

ÉTHIOPIE

DJIBOUTI

300 km

L'Érythrée

Un pays fier de son identité

Malgré ses 1 000 km de côtes, le pays est un des endroits les plus chauds du globe (pics à 57 °C). Peuple connu pour sa détermination, nécessaire à la reconstruction du pays suite à de longues années de guerre, les Érythréens sont en majorité agriculteurs. Dans le cadre de la reprise des tensions à la frontière éthiopienne, l'armée a recruté, de gré ou de force, près d'un homme sur cinq. Pour échapper à la dictature du président Issayas Afeworki, soldats déserteurs, adolescents fuyant la conscription, nombreux sont les Érythréens à s'entasser dans les camps de réfugiés des États voisins. Avec 30 journalistes et près de 10 000 détenus politiques emprisonnés, l'Érythrée reste le pays le plus répressif au monde en matière de liberté de la presse.

Sources de santé

Plutôt que de consulter un médecin ou d'aller à l'hôpital, les Érythréens ont l'habitude de se plonger dans l'une des nombreuses sources d'eau chaude du pays.

Exporter les produits des caravanes

Fondé vers le IIIᵉ siècle av. J.-C., le port d'Adoulis devient le plus important de la mer Rouge pendant plus de huit siècles. Il exporte les matières premières et précieuses du continent vers l'Arabie et l'Inde. Après les influences égyptienne, perse, romaine, chrétienne, arabe, ottomane, portugaise, l'inauguration du canal de Suez en 1869 attire les Occidentaux. L'Italie s'installe en 1885 à Massaoua et, à la fin des années 1920, fait de l'Érythrée le pays le plus industrialisé d'Afrique.

Les femmes dans la guerre de libération

Avec 32 000 enrôlées, soit plus de 30 % des effectifs de l'armée de libération, les femmes ont beaucoup compté dans la guerre contre l'Éthiopie. À côté du simple patriotisme, le féminisme est un facteur clé de leur engagement. Le Front populaire de libération érythréen a interdit le mariage des enfants et a offert aux femmes la possibilité de demander le divorce et d'accéder à la propriété.

Massaoua sur les rives de la mer Rouge

1890 — Colonisation par l'Italie, commencée en 1882, tremplin pour la conquête de l'Éthiopie

1952 — L'Érythrée devient une « entité autonome » au sein de l'Éthiopie.

1962 — Annexion par l'Éthiopie, début de la guérilla du Front de libération de l'Érythrée

1993 — Indépendance après 30 ans de conflit (100 000 morts)

1998-2000 — Nouvelle guerre avec l'Éthiopie, signature d'un accord de paix en 2000, mais contestation par l'Éthiopie de la délimitation de la frontière de 2007

Femme soldat du Front populaire de libération érythréen

superficie :
23 200 km²

population :
900 000

densité :
38,7 hab/km²

monnaie : franc
de Djibouti

ÉRYTHRÉE

MER
ROUGE

ÉTHIOPIE

50 km

Obock

Tadjoura

Lac
Assal

Golfe de
Tadjoura

Arta

DJIBOUTI

Golfe d'Aden

Lac
Abbé

Dikhil

Ali-Sabieh

SOMALIE

Djibouti

Porte d'entrée de la Corne de l'Afrique

Djibouti a longtemps été connu par les récits d'aventures qui évoquaient le commerce de perles. Pays minéral, montagneux et aride, c'est sa localisation géographique, surtout après l'ouverture du canal de Suez, qui a intéressé le colonisateur français pour le contrôle de la mer Rouge. Aujourd'hui, ce même positionnement stratégique donne à Djibouti le soutien des institutions financières arabes et explique la présence militaire française et américaine (2 500 hommes depuis 2002). La plus grande base française à l'étranger avec 1 900 militaires est un important acteur économique qui assure un cinquième du budget national. Déjà en activité, le port en eau profonde de Doraleh devrait devenir l'un des plus grands ports d'Afrique, Djibouti gérant déjà 70 % des échanges maritimes de l'Éthiopie. L'avenir de son développement réside peut-être dans les énergies alternatives avec un fort potentiel dans la géothermie, l'éolien et le solaire.

Un rêve déjà vieux

Aujourd'hui urbains ou sédentarisés, les Djiboutiens restent fidèles à leur tradition nomade : hospitalité, attachement à la famille et patience, héritée de la longue quête de l'eau.

Un chemin de fer mythique

À partir de 1917, la ligne de chemin de fer reliant Djibouti-ville à Addis-Abeba, capitale de l'Éthiopie, a permis à Djibouti de devenir le port commercial de son voisin. Sa construction n'a pas été facile : la chaleur, les nombreux reliefs et la résistance des tribus somalies feront de nombreux morts. Dans les années 1950, les ouvriers du chemin de fer introduisent à Djibouti les luttes qui préparent les combats pour l'indépendance.

Ier au Xe siècle	Le royaume d'Axoum domine la région.
IXe siècle	Comptoirs des marchands arabes, implantation de l'islam
1862	Colonisation française, installation au port de Djibouti en 1888
1977	Indépendance
1999	Ismaïl Omar Guelleh, président de la République, toujours au pouvoir

Entraînement dans le désert de soldats français et américains

Gare de Djibouti : arrivé du train de légumes en provenance d'Éthiopie

La dépendance au khat

Drogue douce, cette feuille aux effets euphorisants est cultivée en Éthiopie. Le khat est livré quotidiennement par avion, un approvisionnement attendu dans la précipitation et la tension par les Djiboutiens. Sa consommation n'est pas légale, mais ce n'est qu'en 2008 que le gouvernement a mis en place des stratégies de sensibilisation sur ses méfaits.

Port naturel de El Mahaan où sont déchargés les bateaux depuis la destruction du port de Mogadiscio

La Somalie

Un pays sans État

Aujourd'hui, la Somalie est un territoire sans État. Après vingt ans de guerre civile, le gouvernement central peine à diriger un pays en proie aux sécessions territoriales (Jubaland, 2013) et aux islamistes shebab. Ces milices mènent des attaques contre les forces gouvernementales ainsi que des attentats terroristes de grande ampleur (centre commercial de Nairobi, 2013 : 69 morts, 200 blessés), des combats entraînant déplacements de population et disparition d'efficaces rouages sociaux (assemblée des anciens, fonction publique). Pourtant, les Somaliens continuent de faire vivre services de téléphonie informelle, réseau Internet de fortune, et Hawala (compagnies privées de transfert d'argent). Celles-ci sont utilisées par les 1,5 millions de Somaliens de la diaspora pour l'envoi de fonds à leurs familles.

Le Somaliland tente d'équilibrer les clans

Le Somaliland, anciennement colonisé par les Britanniques, est une sécession du nord de la Somalie. D'une superficie de 137 600 km² avec une population de 3,5 millions, le Somaliland est créé en 1991, par le Mouvement national somalien, la rébellion opposée au dictateur Muhammad Siyad Barre. À l'époque, la Somalie du Sud sombre dans l'anarchie politique et l'État somalien cesse d'exister. Au sein de son administration, le Somaliland essaye de construire un équilibre entre les différentes branches claniques, mais il n'est pas reconnu internationalement.

Les réfugiés de Somalie

Le camp de Dadaab au Kenya (à 100 km de la frontière) est le plus important du monde et accueille 390 000 réfugiés, sur un million de Somaliens dans la sous-région.

L'encens comme culture

Utilisé rituellement dans les religions, les arts divinatoires et par une majorité de femmes somaliennes à la maison, on prête à l'encens des vertus purificatrices. Il prépare aussi l'esprit à être plus réceptif, soit pour la concentration, soit pour la prière. L'*idin*, ou brûle-parfum, trône en général au centre des habitations. La précieuse résine reste encore aujourd'hui extraite selon les méthodes ancestrales : par blessure naturelle ou incisions faites sur un arbuste de plus de dix ans appelé *Boswellia sacra*.

Camp de réfugiés au Puntland

Vote au cours du référendum constitutionnel au Somaliland

Le plus important cheptel de dromadaires au monde

Avec ses 6 millions de dromadaires, le pays représente près de 50 % du cheptel africain. La présence de camélidés est attestée dès 1500 av. J.-C. sur l'île de Socotra au large de la Somalie. Essentiel pour le commerce caravanier, la consommation de sa chair, de la graisse de sa bosse et de son lait, base de l'alimentation nomade, l'animal reste ancré dans les traditions locales. Il joue un rôle central dans l'acheminement de la myrrhe et de l'encens dont la Somalie est l'un des deux plus grands exportateurs au monde.

DJIBOUTI — *Golfe d'Aden*
Berbera
Hargeisa — Somaliland
ÉTHIOPIE
Garoowe
Puntland
Ogaden
Wabi Shebelé
Belet Uen
MOGADISCIO
Marka
Djouba
KENYA
Kismaayo
OCÉAN INDIEN

400 km

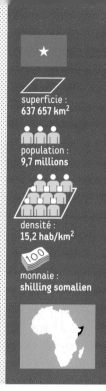

superficie :
637 657 km²

population :
9,7 millions

densité :
15,2 hab/km²

monnaie :
shilling somalien

Hassan, « le Mollah fou » (1856-1920)

Mohammed Abdallah Hassan entreprend de faire régner l'ordre dans l'organisation anarchique des clans somalis et entre en guerre sainte contre les chrétiens et la colonisation du Somaliland par les Britanniques. Après quelques succès militaires, il est assiégé à Taleh et abandonne le combat en 1920.

Une économie asphyxiée

Le pays est classé comme le champion mondial de la corruption par l'ONG Transparency International. La disparition de la banque centrale ne permet pas de stopper l'abondance de faux billets, donc de contrôler la dévaluation de la monnaie nationale, le shilling somalien. La fermeture du marché de Baraka, cœur commercial de Mogadiscio, entretient une flambée des prix des denrées de première nécessité (farine, maïs, riz). Seuls les transferts d'argent de la diaspora maintiennent un semblant d'économie.

La faiblesse des institutions du Puntland

Le Puntland est une sécession du nord-est de la Somalie. D'une superficie de 200 000 km² avec une population de 2,5 millions, le Puntland est créé en 1998 par les autorités de la région, pour échapper à la situation chaotique née de la disparition de l'État en 1991. Il s'agit selon elles d'un « État régional fédéral » au sein de la Somalie, susceptible d'être intégré, dans un cadre fédéral, à une Somalie redevenue stable. Le pays n'est pas reconnu internationalement.

1887 — Protectorat britannique sur le Somaliland

1900 — Ogaden annexé par l'Éthiopie

1936 — Colonisation du reste du pays par l'Italie fasciste

1960 — Indépendance et fusion de la Somalie avec le Somaliland rompue en 1991

1991 — Début de la guerre civile, pas de gouvernement jusqu'en 2009

Une division clanique ancienne

Le peuple somalien est, dès l'origine, composé de nombreux clans. Au pouvoir de 1969 à 1991, le dictateur Muhammad Siyad Barre ne réussit pas à refaire l'unité d'un pays qui conserve encore aujourd'hui cet héritage d'une classe politique divisée entre ses origines claniques.

Départ des dernières troupes de l'opération Rendre l'espoir (1995)

La famine qui fait suite à la guerre civile est telle qu'elle conduit la communauté internationale à intervenir pour la distribution de l'aide alimentaire. Ainsi, en 1992, sous l'égide de l'Onu et le contrôle des États-Unis, débarquent 38 000 casques bleus dont deux tiers d'Américains, mais ils sont très vite tenus en échec par les chefs de guerre. L'opération est un fiasco.

2012 — Hassan Sheikh Mohamud élu président de la République

Mogadiscio : destructions dues à la guerre civile

Le Kenya

La nature sauvage en cadeau

Pays de parcs naturels exceptionnels, le Kenya a l'une des plus grandes densités d'animaux sauvages au monde, notamment les cinq les plus nobles appelés The Big Five : lion, éléphant, buffle, rhinocéros et léopard. Chrétienne, animiste ou musulmane, la population vit essentiellement de l'agriculture et du tourisme. L'économie s'est fragilisée mais a longtemps été la plus stable d'Afrique de l'Est. Grâce au transit commercial du port de Mombasa, le pays garantit une bonne part des PIB du Burundi, du Rwanda et de l'Ouganda. Le nouveau président Uhuru Kenyatta, démocratiquement élu, reste cependant poursuivi par la Cour pénale internationale pour crimes contre l'humanité commis lors des violences de 2007. L'élection à la présidence des États-Unis de Barack Obama, dont le père, né et enterré à Nyangoma-Kogelo, était kényan, fait la fierté des habitants et soulève, dans le pays, de fortes attentes sur la politique américaine en Afrique.

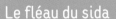

Le fléau du sida

Au Kenya, 1,5 million de personnes sont mortes du sida et 1,6 million vivent avec le VIH, dont quatre sur cinq sans savoir qu'elles sont contaminées.

Production de roses dans la vallée du Rift

Un quart des fleurs vendues dans le monde

La production de fleurs fait vivre 70 000 personnes et fournit indirectement du travail à 1,5 million d'habitants. Avec 4 millions de tiges par an, le Kenya est le premier exportateur mondial de fleurs coupées, notamment de roses, vers l'Europe. Le secteur est la troisième source de devises après le thé et le tourisme, avec 500 millions de dollars annuels. La main-d'œuvre est payée entre 1 et 2 dollars par jour et s'expose à de forts risques liés à l'utilisation de hautes doses de pesticides.

Une tradition de stabilité

Les Bantous sont présents sur le territoire au Ier millénaire avant notre ère. Les éleveurs nilotiques s'installent dans la région vers l'an 1000. Dès le VIIIe siècle, des commerçants musulmans arabes et perses établissent des comptoirs, font négoce de l'ivoire et des esclaves, et contractent des mariages avec des Africains donnant naissance à la culture swahilie. Après une longue résistance des peuples massaï, les Britanniques commencent à coloniser le pays dès la fin du XIXe siècle.

Migration des gnous dans la réserve nationale de Masaï-Mara

La migration annuelle des gnous

À partir de septembre, la réserve nationale de Masaï-Mara, située au sud-ouest du pays, connaît la « grande migration ». Entre 1,5 et 2 millions de gnous, plusieurs centaines de milliers de zèbres et d'antilopes se déplacent pour retrouver les terres herbeuses du parc national du Serengeti en Tanzanie. Un voyage difficile, car ils doivent trouver des passages peu profonds pour traverser les rivières, et éviter les prédateurs.

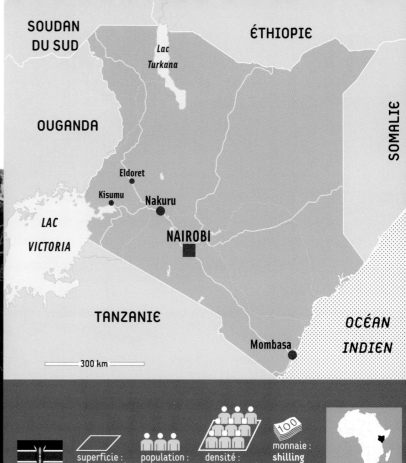

SOUDAN
DU SUD

ÉTHIOPIE

Lac Turkana

OUGANDA

SOMALIE

Eldoret

Kisumu   Nakuru

LAC VICTORIA

NAIROBI

TANZANIE

OCÉAN INDIEN

Mombasa

300 km

superficie : 582 646 km²

population : 42,7 millions

densité : 73,2 hab/km²

monnaie : shilling kényan

Danse rituelle des Massaïs

L'initiation chez les Massaïs

Peuple de pasteurs estimé à 300 000 personnes réparties entre le Kenya et la Tanzanie, les Massaïs restent à l'écart de la civilisation et indifférents à la propriété du sol. Chez les garçons, l'initiation traditionnelle consiste à vivre, parfois jusqu'à huit ans, isolé dans le bush, à apprendre art du combat et secrets des plantes médicinales, puis à prouver son courage en tuant un lion. À la suite de la circoncision, ils deviennent alors des guerriers, *moran*, et peuvent revêtir la tunique écarlate, *suka*.

L'excision par les mots

Il y a 38 % de femmes excisées au Kenya et 90 % dans certaines ethnies. L'excision, l'ablation du clitoris, pratique ancestrale condamnée par la communauté internationale, est interdite pour les filles de moins de 17 ans depuis 1982. Certaines associations ont créé des programmes de remplacement par un rite de passage à l'âge adulte symbolique. Appelé « excision par les mots », il s'agit d'une cérémonie avec isolement, enseignement traditionnel, et célébration, mais qui évite les dégâts physiques et psychologiques.

Wangari Maathai (1940-2011)

Née à Nyeri, militante écologiste emprisonnée sous l'ancienne présidence, ministre adjoint à l'Environnement, elle a lancé le Mouvement ceinture verte, une campagne de sensibilisation à la lutte contre l'érosion du sol par la création de pépinières et la reforestation (30 millions d'arbres replantés). Le professeur de biologie a obtenu le prix Nobel de la paix en 2004.

VIIIᵉ siècle	Naissance des cités-État arabo-swahilies sur la côte
1882	Colonisation britannique
1953	« Révolte des Mau-Mau » pour chasser les colons britanniques
1963	Indépendance
2007	Violences intercommunautaires liées à la réélection contestée du président Mwai Kibaki
2013	Uhuru Kenyatta élu président de la République

Jomo Kenyatta président de 1964 à 1978
Après avoir lutté contre le colonisateur dès les années 1920, il fait de son pays l'un des plus prospères du continent selon sa devise *Haraambee !* (« En avant ! ») : le développement passe par l'effort et la réunion de toutes les communautés ethniques. Mais il muselle l'opposition et la corruption prend son essor dans l'appareil d'État.

Conflit foncier plus que conflit ethnique

Les événements sanglants de 2007 (1 000 morts, 300 000 déplacés) ne doivent pas être considérés comme des affrontements ethniques. À l'indépendance du pays, les terres laissées par les Britanniques ont été distribuées à la population, mais l'État a fait preuve d'une grande partialité en faveur d'une ethnie. Les Kikuyu ont pu bénéficier de prêts et acheter la plupart des terres, y compris dans des régions où ils n'étaient pas majoritaires.

superficie :
241 040 km²

population :
35,6 millions

densité :
147,6 hab/km²

monnaie : shilling
ougandais

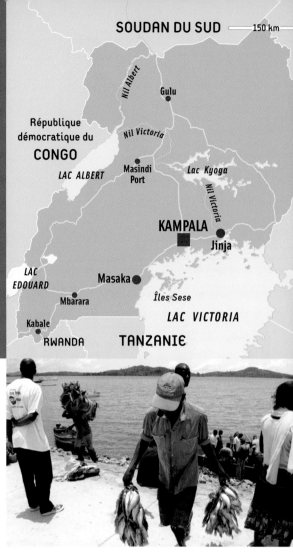

Gulu

République
démocratique du
CONGO

Nil Albert

Nil Victoria

LAC ALBERT

Masindi
Port

Lac Kyoga

Nil Victoria

KAMPALA

Jinja

LAC
EDOUARD

Masaka

Mbarara

Îles Sese

LAC VICTORIA

Kabale

RWANDA

TANZANIE

Pêche au lac
Victoria

L'Ouganda

Une des « perles » naturelles du continent

Vert et fertile, le pays est dominé par la savane avec, à l'ouest, des jungles et, au sud, le lac Victoria, le plus grand d'Afrique. Dans les années 1960, l'Ouganda doit son rayonnement culturel à la prestigieuse université de Makerere à Kampala qui a formé une partie de l'élite intellectuelle et politique du continent. Le pays jouit d'une économie relativement stable et exporte des produits de l'agriculture et de la pêche dont la perche du Nil. L'Ouganda a mis en place une efficace politique de lutte contre le sida : alors que la maladie a déjà fait plus d'un million de morts, le taux de personnes contaminées est passé de 20 à 7,3 % en vingt-cinq ans. Après la dictature d'Idi Amin Dada dont la folie a conduit à raser et à massacrer des villages entiers, le pays, gouverné démocratiquement, doit faire face à la terreur d'un mouvement rebelle dans le Nord depuis plus de vingt ans.

Le proverbe, un sport national

Toutes les ethnies ougandaises ont leurs propres dictons. Outils d'éducation, ces proverbes font rire et expriment toujours une morale.

Le royaume de Buganda

À partir du XIVe siècle, le royaume de Buganda domine la région jusqu'à l'indépendance. Il achète aux commerçants arabes des fusils contre des esclaves, développe la culture du café et du coton, et produit du fer et du tissu de fibre d'écorce. En 1993, le président Museveni accepte le sacre du roi Mutebi II, un geste d'ordre culturel et une manière de s'attacher le soutien électoral de la communauté (un quart de la population).

2009, année du gorille

Le pays accueille environ la moitié des derniers sept cents gorilles de montagne du continent dans la forêt dense du parc national de Bwindi. Géant de près de 200 kg, le gorille de montagne est un pacifique herbivore. Même si sa chasse est interdite, il demeure menacé par les militaires et les rebelles qui font parfois le commerce de « viande de brousse ». Le permis pour rester une heure en compagnie des gorilles est de 500 euros.

Gorille dans le parc
national de Bwindi

Début XIVe siècle	Essor du royaume de Buganda
1894	Protectorat britannique
1962	Indépendance
1971-1979	Dictature d'Idi Amin Dada
1986	Prise de pouvoir de Yoweri Museveni, toujours en fonction. Il engage, dès 2006, des pourparlers de paix avec la rébellion de l'Armée de résistance du Seigneur.

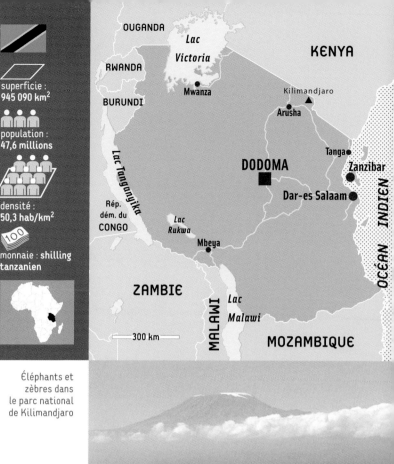

superficie :
945 090 km²

population :
47,6 millions

densité :
50,3 hab/km²

monnaie : shilling
tanzanien

Éléphants et
zèbres dans
le parc national
de Kilimandjaro

La Tanzanie

Le bon élève des organisations internationales

Lacs Victoria et Tanganyika, réserves de Serengeti, du Ngorongoro et de Selous, mont Kilimandjaro, la Tanzanie regorge de sites naturels d'exception. Le plus stable pays d'Afrique de l'Est hérite de l'influence de son premier président Julius Nyerere, intègre et progressiste, partisan d'une voie de développement puisant aux sources des principes africains (famille, aide mutuelle, égalité économique). Fait rare sur le continent, Julius Nyerere quitte volontairement le pouvoir en 1985. Si ce pays laïc et multiethnique n'a connu aucune guerre civile en quarante-cinq ans, il est considéré comme pauvre et est le principal bénéficiaire de l'aide publique au développement en Afrique subsaharienne. L'économie est surtout rurale avec l'exportation de café, de thé, de coton et de tabac. Le pays exploite aussi des mines d'or, de diamants et de tanzanite, pierre précieuse mille fois plus rare que le diamant.

Le mont Kilimandjaro, plus haut sommet d'Afrique

À 5 895 m, le pic Uhuru est le point culminant du Kilimandjaro. Les célèbres neiges du sommet risquent de disparaître d'ici à une dizaine d'années.

Arusha, la Genève de l'Afrique

La ville inaugure sa vocation pacifiste en 1967 quand, en pleine guerre froide, le président Nyerere affirme dans sa « déclaration d'Arusha » que l'Afrique doit s'affranchir des idéologies étrangères et trouver un modèle social propre. À partir de 1994, le Tribunal pénal international pour le Rwanda siège à Arusha ainsi que la Cour africaine des droits de l'homme et des peuples, dès 2008.

VIIIe siècle	Création de la culture swahilie
1498-1698	Les Portugais entretiennent le commerce d'esclaves.
1961	Indépendance du Tanganyika, indépendance de Zanzibar en 1963
1964	Union du Tanganyika et de Zanzibar pour former la République unie de Tanzanie ; Julius Nyerere président
1995	Premières élections démocratiques

L'invention de la culture swahilie

La langue nationale, le kiswahili, naît des échanges entre Africains et commerçants arabes, persans et indiens dès le VIIIe siècle. L'archipel de Zanzibar est alors le centre de la civilisation swahilie avec son commerce d'épices, de parfums et de produits de luxe (plumes d'autruche, défenses d'éléphant, cornes de rhinocéros) et son marché aux esclaves. Au XVIIe siècle, après les Portugais, les sultans d'Oman prennent le contrôle de l'île qui devient ensuite protectorat britannique. Zanzibar bénéficie aujourd'hui d'un statut semi-autonome.

« Dhow »,
voilier en bois
traditionnel,
à Zanzibar

Réunion d'une association dans une salle de classe au Kénya

La société civile
sur le devant de la scène

Étudiants, enseignants, syndicalistes, journalistes, altermondialistes... La société civile africaine n'accepte plus que ses gouvernants décident à sa place et le manifeste.

Des sociétés en lutte

Quand les enseignants font grève parce qu'ils ne perçoivent plus leur salaire, les étudiants manifestent violemment contre les forces de l'ordre et protestent contre ces « années blanches » (année scolaire ratée) qui retardent l'obtention de leur diplôme. On ne compte plus les journées « villes mortes », grèves générales, et émeutes de la faim, comme entre février et mai 2008 où plus de treize pays ont protesté pour obtenir une baisse des prix des produits de première nécessité. Non sans certaines victoires avec, par exemple, la démission des Premiers ministres de Guinée et de Centrafrique. Les mouvements sociaux africains se font aussi de plus en plus entendre sur le plan international, à la manière du Réseau africain sur le commerce, basé au Ghana, qui résiste aux politiques néolibérales et

est le premier à se mobiliser contre l'Organisation mondiale du commerce (OMC). En 2002 se tient le premier Forum social africain à Bamako (Mali), qui représente aujourd'hui vingt-cinq pays, dans la mouvance du Forum social mondial, qui lui s'est tenu pour la première fois sur le sol africain à Nairobi (Kenya) en 2007.

Parmi les peuples
les plus mobiles de la planète

Très mobiles, les Africains le sont d'abord sur le continent : des pays comme la Côte d'Ivoire, l'Afrique du Sud, le Ghana, le Nigeria, le Gabon, la Libye accueillent des populations étrangères par millions (sénégalaise, malienne, burkinabé, zimbabwéenne, etc.). Par ailleurs, les nombreux conflits armés qui traversent le continent produisent environ 2,7 mil-

lions de réfugiés (déplacés dans un autre pays que le leur) et environ 6,3 millions de déplacés (réfugiés dans leur propre pays). L'immigration économique, légale et illégale, qui pousse surtout des femmes et des jeunes souvent peu qualifiés à aller chercher un travail en Europe, concerne chaque année 300 000 personnes. Environ 20 000 cadres africains hautement qualifiés s'expatrient chaque année vers les pays développés : c'est la fuite des cerveaux. Il y a par exemple aujourd'hui plus de cadres africains travaillant aux États-Unis que sur l'ensemble du continent ! Moindre mal de cette immigration, les transferts de fonds des migrants véhiculent des sommes énormes (par exemple, 15 % du PIB de l'Érythrée), contribuent largement au développement des pays d'origine et permettent même de maintenir une cohésion sociale dans certaines régions.

Le boom de l'enseignement supérieur privé

Dans les classements internationaux, les universités publiques africaines arrivent en queue de peloton. La première université francophone se retrouve, par exemple, classée à la 3 247e position ! La faillite du système universitaire public, avec la multiplication des grèves et la surpopulation étudiante, ajoutée à la nécessité de filières plus en phase avec le marché du travail (communication, marketing, banque...) ont contribué au boom de l'enseignement supérieur privé. Parfois de bon niveau, capables d'engager des partenariats avec universités ou grandes écoles occidentales, ces établissements en cachent souvent d'autres, sans accréditation, s'intéressant surtout aux frais de scolarité. Garages transformés en école, enseignants peu ou pas payés, fraude au diplôme de fin d'études, tous les moyens sont bons pour faire du chiffre. L'avenir du secteur consiste sans doute à créer des centres d'excellence d'enseignement supérieur et de formation professionnelle spécialisés sur les potentiels du continent : industries extractives (pétrole, gaz, exploitation minière) et agrobusiness. Un investissement nécessaire pour accueillir les 200 millions de jeunes qui intégreront le marché de l'emploi en 2020.

Les femmes en recherche de nouveaux territoires

Le lien entre développement économique et condition des femmes n'est plus à démontrer. Pour preuve les femmes du continent s'épanouissent dans les réussites commerciales, les initiatives citoyennes et les actions solidaires. Si elles subissent, bien plus que les hommes, le poids des religions, des pressions sociales et des communautés, elles défrichent de plus en plus de nouveaux territoires d'émancipation : groupes refusant la pratique de l'excision ou les mariages forcés, femmes qui assurent seules et durant des années l'éducation de leurs enfants du fait de l'émigration économique du mari à l'étranger, créatrices de tontines mutuelles (banques communautaires), femmes rurales en révolte pour protester contre certaines taxes, femmes parlementaires – 18 % en moyenne en Afrique australe –, associations de femmes appelant à l'abstinence sexuelle des ménages pour faire changer une décision gouvernementale, musulmanes luttant pour la reconnaissance de leurs droits en faisant évoluer le code de la famille, femmes propriétaires de 48 % de l'ensemble des entreprises du continent... Le chemin est encore long, mais les Africaines se sont désormais abonnées à la dynamique du changement et de la reconnaissance de leur statut.

Barry Aminata Touré, présidente de la Coordination des alternatives africaines dette et développement, compte parmi les organisateurs du Forum social mondial

Amphithéâtre de l'Institut supérieur de management de Dakar

L'Afrique centrale

Faiblement peuplée, surtout forestière, organisée autour du lac Tchad au nord jusqu'au fleuve Congo au sud, de population majoritairement bantoue, l'Afrique centrale est très tôt exploitée pour ses essences d'arbres et, plus tard, pour ses minerais stratégiques (cobalt, uranium, coltan) et son pétrole offshore. À l'époque précoloniale, les peuples du Nord situés dans l'actuelle Centrafrique vont subir les razzias esclavagistes des États musulmans du Sahel. La côte atlantique, avec surtout l'actuel Angola, va servir de comptoir pour le commerce triangulaire. Avec les cinq millions de morts de ses deux guerres (1998-2008) et un état de conflit persistant dans les provinces de l'Est, la République démocratique du Congo (RDC), pays-clé de la zone, subit les plus lourdes pertes jamais connues sur le continent. Avec les événements de 1994 au Rwanda qui ont fait un million de morts, la région a connu un des plus grands génocides du XXe siècle. Comme dans de nombreux pays, la Chine y investit en masse dans les infrastructures, en échange d'accès privilégiés aux matières premières.

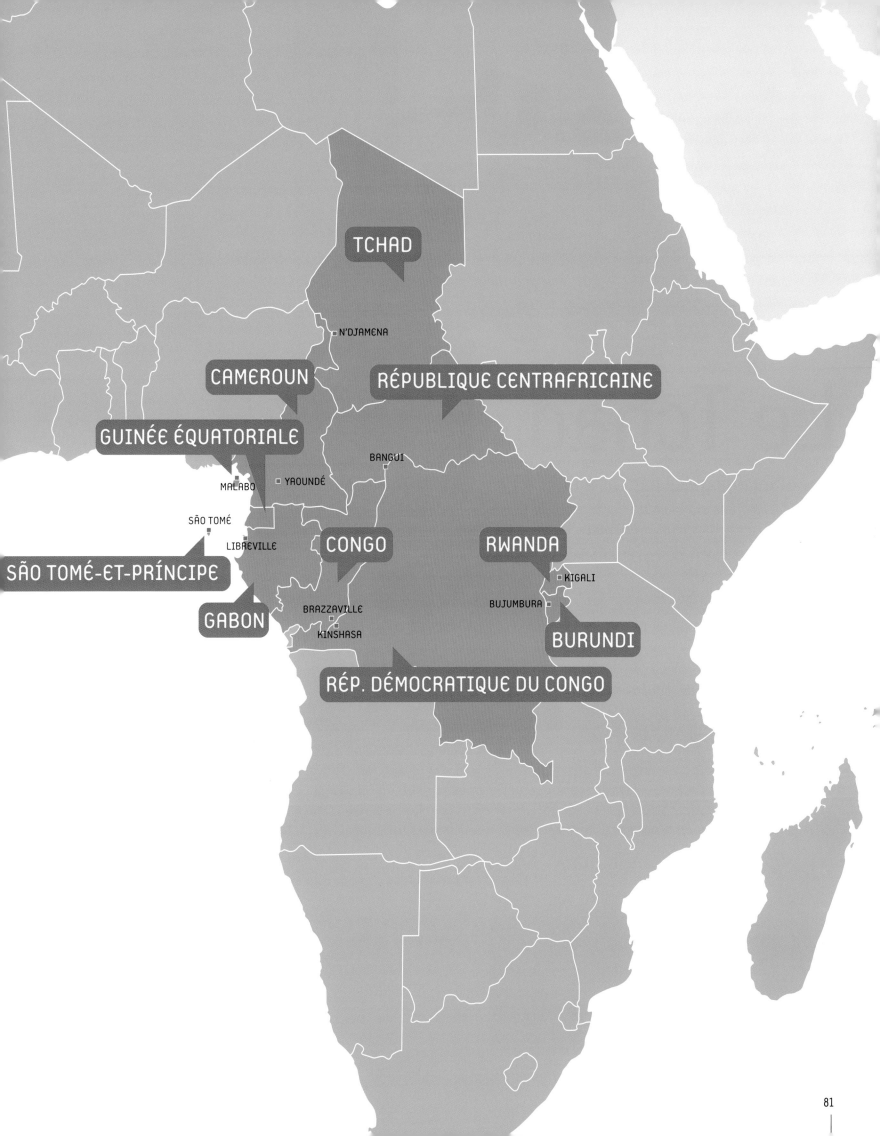

TCHAD

N'DJAMENA

CAMEROUN

RÉPUBLIQUE CENTRAFRICAINE

GUINÉE ÉQUATORIALE

BANGUI

MALABO

YAOUNDÉ

SÃO TOMÉ

CONGO

RWANDA

LIBREVILLE

KIGALI

SÃO TOMÉ-ET-PRÍNCIPE

BUJUMBURA

BRAZZAVILLE

GABON

BURUNDI

KINSHASA

RÉP. DÉMOCRATIQUE DU CONGO

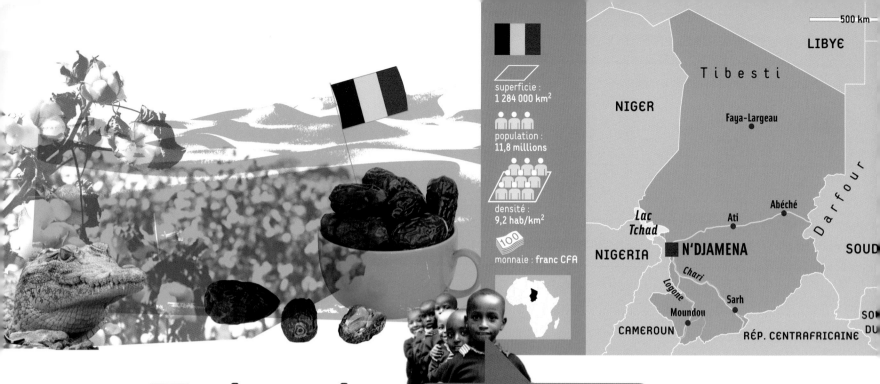

superficie :
1 284 000 km²

population :
11,8 millions

densité :
9,2 hab/km²

monnaie : franc CFA

LIBYE

Tibesti

NIGER

Faya-Largeau

Darfour

Lac
Tchad

Ati

Abéché

NIGERIA

N'DJAMENA

SOUD

Chari

Logone

Moundou

Sarh

CAMEROUN

RÉP. CENTRAFRICAINE

SO
DU

500 km

Le Tchad

L'école publique « privée »

Les deux tiers des écoles du pays sont construits par les parents d'élèves et, dans les villages, la plupart des maîtres sont à la charge des associations familiales.

L'or blanc remplacé par l'or noir ?

Pays enclavé, le Tchad paye le prix fort pour importer de nombreuses denrées soit par avion, soit par camion depuis le lointain port de Douala au Cameroun. Désertique au nord et agricole au sud avec une filière coton, « l'or blanc », tributaire des aléas des cours mondiaux (près de 2 millions de personnes concernées), le Tchad reste pauvre économiquement. À la différence des grands royaumes sahéliens, la résistance au colonisateur européen dans les années 1900 n'est pas très forte car les peuples habitant la région, trop divisés, sont peu organisés. Depuis son indépendance, le pays a traversé vingt ans de guerre civile et doit encore faire face à la crise du Darfour qui a poussé plus de 250 000 réfugiés soudanais sur son sol. L'engagement du gouvernement actuel de réserver 70 % des revenus pétroliers à la réduction de la pauvreté n'a pas été respecté : ils ont été affectés aux dépenses militaires.

1920	Colonie française
1960	Indépendance
1982	Présidence de Hissène Habré. Aujourd'hui incarcéré au Sénégal, accusé de crimes contre l'humanité, crimes de guerre et tortures (bilan de son régime : 40 000 morts)
1991	Présidence d'Idriss Déby Itno, toujours au pouvoir
2003	Début d'exploitation du pétrole avec l'oléoduc Tchad-Cameroun

Marché au coton près de Berem au sud de N'Djamena

Le royaume du Kanem

Dans les régions nord et nord-est du Tchad, le royaume du Kanem connaît son essor au IXᵉ siècle. Il doit sa supériorité à sa cavalerie et à la maîtrise de la métallurgie du fer, grâce à laquelle il adopte la technique des couteaux de jet. Le royaume contrôle le commerce transsaharien, pratique l'esclavage traditionnel et va surtout augmenter le trafic d'esclaves suite à l'ouverture d'une route plus courte vers le monde arabe, puis l'Empire ottoman.

Massif de l'Ennedi au coucher du soleil

Incroyable variété des déserts

Le massif du Tibesti, avec ses reliefs aux formes et aux couleurs exceptionnelles, ainsi que celui de l'Ennedi, avec ses peintures rupestres et ses points d'eau (gueltas), offrent des paysages spectaculaires. Le pays recèle tous les types de déserts : dunes de sables (ergs), roches noires volcaniques, cratères de type lunaire, et gueltas, dont celle d'Archeï, abritant une espèce de crocodile marin.

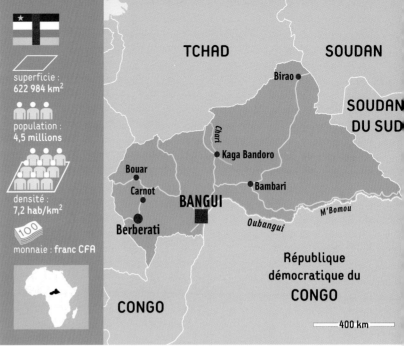

superficie :
622 984 km²

population :
4,5 millions

densité :
7,2 hab/km²

monnaie : franc CFA

TCHAD — SOUDAN
Birao
Chari
Kaga Bandoro
Bouar
Carnot
Bambari
BANGUI
Berberati
M'Bomou
Oubangui
SOUDAN DU SUD
République démocratique du CONGO
CONGO

400 km

La République centrafricaine

Pistes en latérite

Au départ de Bangui, seules trois routes principales sont goudronnées sur une centaine de kilomètres. Tous les autres axes du pays sont des pistes en latérite.

Une nature encore sauvage, un pays pauvre

Avec de riches réserves d'animaux peuplées, notamment, d'éléphants et de nombreuses espèces d'oiseaux, ce pays de savane et de forêt tropicale abrite aussi d'importantes communautés pygmées. Autrefois largement utilisé comme réserve de main-d'œuvre par le colonisateur français, le pays s'est surtout fait connaître par le triste épisode de Jean Bédel Bokassa, un dictateur qui a fait régner terreur et arbitraire pendant près de quatorze ans. L'économie centrafricaine a toujours été fragile. Elle cumule vétusté des infrastructures avec de longues et répétitives grèves de fonctionnaires pour le non-paiement de leurs salaires. Seul le secteur du diamant permet à l'État de se procurer quelques devises, mais la moitié de la production est exportée illégalement. Sur le plan politique, le pays connaît une destruction quasi totale de l'État, notamment due à d'incessants changements de régime depuis cinquante ans.

Des mégalithes millénaires

Présents dans la région de Bouar à l'ouest du pays, sur une zone de 7 500 km², les mégalithes centrafricains peuvent mesurer 5 m de hauteur et peser 5 t. Sculptés il y a environ 3 000 ans, ils attestent qu'une civilisation maîtrisait, dès cette époque, les techniques de l'outillage en pierre.

1905	Création de la colonie française de l'Oubangui-Chari
1959	Mort dans un attentat de Barthélemy Boganda, président depuis 1958
1960	Indépendance
1965	Coup d'État de Jean Bédel Bokassa, qui se fait nommer empereur en 1976
2013	Guerre civile à dimension interreligieuse

Femmes pygmées Aka allant pêcher dans un cours d'eau

La proclamation de la République

Celui, qui, en 1958, proclame la République centrafricaine « État autonome au sein de la Communauté française », a déjà un long passé d'engagement. Barthélemy Boganda, aujourd'hui considéré comme un héros national, a été prêtre, député à l'Assemblée nationale française, puis président du pays. Pour faire prendre conscience de la nécessité de l'unité nationale face aux différences ethniques, une de ses formules, restée célèbre, était *Zô Kûê Zô* qui signifie « Tout homme est un homme ».

Femme lavant de la boue dans un tamis pour trouver des diamants

superficie : 28 051 km²	
population : 0,7 million	
densité : 24,9 hab/km²	
monnaie : franc CFA	

MALABO
Île de Bioko
Luba
Ureka
CAMEROUN
OCÉAN
ATLANTIQUE
Bata
Ebebiy
Añisok
Île d'Annobón
Mbini
Aconibe
San Antonio de Palé
GABON
80 km
5 km

La Guinée équatoriale

Un petit émirat pétrolier

Connue pour la réputation de son cacao considéré longtemps comme le meilleur du monde, la Guinée équatoriale est un petit pays composé d'une région continentale et de plusieurs îles dont Bioko sur laquelle se trouve Malabo, la capitale. Pays volcanique, de tradition agricole, son économie décolle à partir de l'exploitation du pétrole au milieu des années 1990. Il développe sa production de méthanol, est aujourd'hui le cinquième producteur de pétrole du continent, avec un monopole de l'exploitation réservé aux compagnies américaines. Longtemps dictature sanglante, avec violation des droits de l'homme, gestion clanique des affaires de l'État et très fort taux de corruption, le pays reste tout entier en chantier avec construction de routes, logements, hôtels, ports et même une future nouvelle capitale !

Beauté des polyphonies pygmées

Les chants pygmées utilisent techniques et rythmes complexes, avec alternance de voix de poitrine et voix de tête, chaque chanteur ayant la liberté d'improviser en solo.

Culture et sculptures fang

Arrivés depuis le XIIᵉ siècle, mobiles et guerriers, les Fang (peuple bantou) sont aujourd'hui majoritaires. Divisés en clans et lignages côté modèle familial, ils se sont longtemps organisés sur le plan social à travers des associations initiatiques dans le domaine de la médecine, de la justice et de la police. Les Fang ont produit des sculptures considérées parmi les plus belles de l'art noir et des masques blancs, recouverts de kaolin, confectionnés pour le culte des morts et des ancêtres.

La ponte des tortues géantes

Sur les plages d'Ureka, au sud de l'île de Bioko, en pleine nuit, viennent pondre les tortues marines géantes. Les femelles creusent un nid profond dans le sable où elles pondent cent à cent-cinquante œufs. Elles protègent ensuite le trou en le recouvrant de sable, puis retournent, épuisées, vers la mer. Les bébés naîtront six à huit semaines plus tard.

Port de Malabo : ferry appareillant pour Bata

Tortue retournant vers la mer

1900	Devient colonie espagnole.
1968	Indépendance, dictature de Francisco Macias Nguema
1979	Coup d'État de Teodoro Obiang Nguema Mbasogo, toujours au pouvoir
1985	Entrée du pays dans la zone franc et dans la francophonie en 1989
1995	Exploitation du premier gisement pétrolier

superficie :
1 001 km²

population :
0,2 million

densité :
199,8 hab/km²

monnaie : **dobra**

30 km

Ilhéu Bombom
ÎLE DE PRÍNCIPE ● Santo António
Ilhéu Caroço
Tinhosa Pequeña
Tinhosa Grande

OCÉAN ATLANTIQUE

Ilhéu das Cabras
Neves ■ **SÃO TOMÉ**
ÎLE DE SÃO TOMÉ
● San João dos Angolares
Ilhéu das Rôlas

São Tomé-et-Príncipe

Métissage des mondes noirs et portugais

Surnommé « île chocolat », car le cacao représente encore 95 % de ses exportations, composé de deux îles, São Tomé-et-Príncipe est un des plus petits États d'Afrique et du monde. La combinaison d'une faible population et de la quasi-absence de touristes procure à certains endroits de l'archipel une impression de terre inconnue, presque encore jamais fréquentée. Les colons portugais s'étant assez souvent mêlés aux Africains originaires d'Angola, du Mozambique, du Cap-Vert, du Bénin et du Congo, le métissage est devenu une composante de la culture. Seul un habitant sur cinq a accès à l'eau potable, et le chômage touche plus de la moitié de la population active. L'économie mise sur les revenus du pétrole offshore suite à un accord avec le Nigeria sur la délimitation des frontières maritimes, réservant 40 % de la production au pays.

De l'esclavage à l'indigénat

Avec l'abolition de l'esclavage en 1876, les grandes plantations sont contraintes à trouver un système d'exploitation de remplacement. Le régime de l'indigénat leur permet d'employer des ouvriers agricoles « forcés » de travailler et privés de droits sociaux. Cet esclavage masqué provoque la visite, en 1908, de l'Anglais William Cadbury, un des plus importants chocolatiers mondiaux. Suite à ses investigations, il demande le boycott international du cacao santoméen... favorisant ainsi le cacao de la Côte-de-l'or (actuel Ghana), alors colonie anglaise.

Chocolats « grands crus »

Les cacaoyers cultivés surtout sur l'île de Príncipe sont issus de la variété *forastero*. Le traitement des fèves fait l'objet de plusieurs étapes jusqu'au séchage pour partir ensuite vers les chocolateries européennes. Grâce à leur réputation de cacao fin et savoureux, certains chocolats du marché mondial peuvent ainsi avoir l'appellation « pure origine » de São Tomé ou « premier cru de plantation ».

Récolte de fèves de cacao sur une plantation de Diego Vaz

Gare routière au centre de la ville de São Tomé

1471	Découverte des îles inhabitées par les Portugais
1913	Plus grand producteur mondial de cacao avec 36 000 t
1953	Révolte des travailleurs des plantations qui se font tuer lors du massacre de Batépa
1975	Indépendance. Présidence de Manuel Pinto da Costa jusqu'en 1991.
2011	Manuel Pinto da Costa réélu président

Le Cameroun

L'Afrique en miniature

Femme transportant du bois dans la région de Rhumsiki

Le Cameroun a très tôt été une terre de contacts entre plusieurs civilisations. Savane de type sahélien au nord, marécages et forêts tropicales du sud-est, et, au sud-ouest, plaine littorale dominée par le mont Cameroun (4 070 m) : sa grande variété de paysages, de climats et de peuples (plus de deux cent quarante ethnies) lui valent le surnom d'Afrique en miniature. La forêt couvre le tiers de la surface du pays et on y dénombre près de trois cents espèces d'arbres, dont plus des deux tiers sont exploités. Cette rapide déforestation est une véritable menace pour l'écosystème. Le Cameroun produit du pétrole et possède des gisements de bauxite et d'or, mais leur exploitation reste limitée faute d'équipements adaptés. Paul Biya, qui a toujours favorisé son ethnie (les Betis), majoritaire aux postes clés du pouvoir, est à la tête d'un des pays les plus corrompus du continent.

Plus de 500 écoles de football

Pour suivre les traces des joueurs prestigieux comme Roger Milla et autre Samuel Eto'o, le pays compte plus de 500 écoles de football.

La question anglophone

Après l'indépendance, le Cameroun anglophone est progressivement intégré au sein du Cameroun francophone pour ne faire qu'un seul et même pays. Mais, aujourd'hui, les anglophones sont considérés comme des citoyens de seconde zone. Un mouvement autonomiste existe et ses manifestations font souvent l'objet de violentes répressions.

Le bois précieux

Les commandes de bois, quatrième recette d'exportation, amorcent une reprise depuis 2010. Le Cameroun reste le premier pays producteur de grumes (pièce de bois avec son écorce) d'Afrique centrale, et le secteur emploie près de 45 000 personnes. Aujourd'hui il est interdit d'exporter certaines essences traditionnelles (fromager, iroko, wenge, moabi, sapelli), mais le pillage clandestin continue. Certains exploitants reçoivent l'autorisation de couper plus de 100 m³ à l'hectare quand la norme ne dépasse pas 5 m³.

Paysages lunaires

Situés à l'extrême nord du pays, avec Tourou comme point culminant (1 442 m), les monts Mandara sont un immense et sec amas pierreux. Les sites volcaniques constitués d'aiguilles rocheuses ressemblent à des paysages lunaires comme à Rhumsiki. La région comprend de nombreuses cultures en terrasses et ses habitants, à l'écart de la civilisation, conservent leurs traditions ancestrales animistes. Ils n'ont découvert la monnaie que depuis les années 1960 !

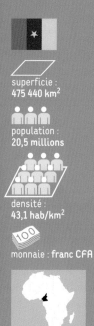

superficie :
475 440 km²

population :
20,5 millions

densité :
43,1 hab/km²

monnaie : franc CFA

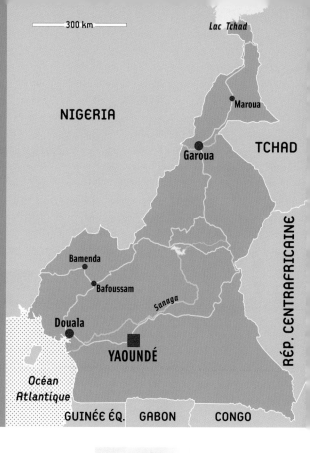

300 km

Lac Tchad

NIGERIA

Maroua

Garoua

TCHAD

Bamenda

Bafoussam

Sanaga

Douala

YAOUNDÉ

*Océan
Atlantique*

GUINÉE ÉQ.   GABON   CONGO

RÉP. CENTRAFRICAINE

Fête
traditionnelle
bamiléké
avec masques
d'éléphants

Transport
de grumes
dans le port
de Douala

1884 : Protectorat allemand sur le Cameroun
par la signature du pacte germano-douala.
Les Allemands fondent une nouvelle capitale
à Yaoundé, exploitent les concessions d'hévéas et
de palmiers à huile mais se heurtent à de fortes
résistances (refus du paiement des impôts et du
travail forcé dans les plantations) dont la révolte
des Doualas matée et achevée par la pendaison
du chef coutumier Rudolf Douala en 1914.

Mongo Beti (1932-2001)

Né à Akométan, romancier et essayiste engagé, créateur de la
revue *Peuples Noirs Peuples africains*, il est considéré comme
un des plus grands auteurs africains. En exil durant trente-
deux ans en France, il a milité pour la cause des peuples noirs,
contre la colonisation, puis contre le néocolonialisme. En 1972,
son livre *Main basse sur le Cameroun* est interdit en France
et au Cameroun.

1919 — La SDN confie le
Cameroun occidental
au Royaume-Uni et
le Cameroun oriental
à la France.

1960 — Indépendance

1961 — Les parties françaises
et anglaises sont réunies
en une République
fédérale avec chacune
leur autonomie.

1972 — La partie anglophone
perd son autonomie et se
voit dissoute au sein du
Cameroun francophone.

1982 — Paul Biya président de
la République, toujours
au pouvoir

2008 — Émeutes de la faim

Chefferie bamiléké

Forte de ses huit cents ans d'histoire à l'ouest du pays, composée d'agriculteurs, de commerçants et d'artisans, la société bamiléké s'organise en de nombreuses chefferies, où les
rois possèdent toujours une autorité spirituelle. Sur le plan politique, le roi est l'« otage »
du peuple, il ne peut se soustraire
au fait qu'il appartient au peuple
et doit exécuter ses volontés. Les
Bamilékés rendent hommage à
leurs ancêtres lors de cérémonies
funéraires exceptionnelles.

L'invention de l'écriture bamoun

Dans les montagnes de l'Ouest, Ibrahim Njoya règne sur le peuple bamoun de 1875 à 1933. Il
met au point une écriture royale qui compte au départ plus de 500 signes idéographiques,
pour passer ensuite à 80 caractères. Cette langue, qui est enseignée dans les écoles, permet
la création d'une véritable administration allant de l'état civil jusqu'à la justice en passant
par la fiscalité. À partir du décès du roi en 1933, le colonisateur français en interdit l'usage.

Médecine traditionnelle codifiée

Environ 80 % de la population a recours à la médecine traditionnelle des
guérisseurs dont le savoir à base de plantes est transmis oralement de
génération en génération. Lors d'une consultation, on peut tomber sur
un véritable expert comme sur un charlatan. En 2007, le gouvernement
donne un cadre juridique à la pro-
fession. Désormais, le tradipraticien
doit bénéficier d'une certaine notoriété dans son village, ne doit pas
être spécialisé dans plus de cinq
maladies, et doit disposer d'un cer-
tificat du ministère de la Santé.

Le Gabon

La civilisation de la forêt

Le Gabon connaît un des taux de boisement les plus élevés au monde avec une couverture forestière de près de 80 %. Il est le premier exportateur de bois tropicaux du continent. Son climat équatorial, chaud et humide, est propice à l'épanouissement d'une faune et d'une flore protégées et souvent rares. Les monts de Cristal renferment, par exemple, le plus grand nombre d'espèces de papillons d'Afrique. Le pays, au départ habité par les Pygmées, composé majoritairement de Bantous, reste très peu peuplé, et encore peu développé. Un quart de la population active est au chômage et la moitié des habitants sont en situation de pauvreté. Dans les années 1970, le Gabon est comparé à une « plate-forme pétrolière géante » et même à « l'État-Elf » tant le rôle de l'entreprise française semble central. Aujourd'hui, l'impact du pétrole, toujours déterminant, va se modifier du fait de la raréfaction de la ressource.

Plate-forme offshore d'extraction de pétrole au large de Port-Gentil

Le pétrole sur le déclin

S'il reste toujours la première ressource de devises, avec une production stabilisée autour des 13 millions de tonnes depuis 2003, le pétrole est voué au déclin du fait de la baisse naturelle des champs pétrolifères. L'avenir est donc plutôt à l'écotourisme et aux richesses minières : les industriels australiens ont investi dans les gisements de manganèse de Moanda qui représentent 30 % des réserves mondiales, et les Chinois s'implantent dans le fer à Bélinga.

La fondation de Libreville

En 1848, la France abolit l'esclavage et l'époque est à la création sur le continent de territoires destinés aux esclaves désirant retourner sur leurs terres. En 1849, alors que le Gabon est sous domination française, le village de Libreville est fondé pour accueillir une cinquantaine d'esclaves originaires du Loango, au sud du pays. Après avoir été capturés trois ans plus tôt sur un navire négrier brésilien, ils sont alors libérés par la marine française. Le nom de la future capitale du pays a donc été choisi pour symboliser cette liberté acquise.

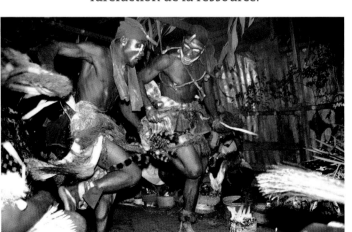

Danse d'initiés au rite du bwiti

Conserver la biodiversité

En 2002, pour conserver l'exceptionnelle biodiversité de sa forêt, l'État crée treize parcs nationaux soit 11 % du territoire protégés. Les grandes organisations internationales de conservation de l'environnement participent au projet et, avec l'aide d'ONG locales, mettent en place des programmes de formation des populations à l'écotourisme, afin de leur assurer une alternative financière à l'exploitation de la forêt.

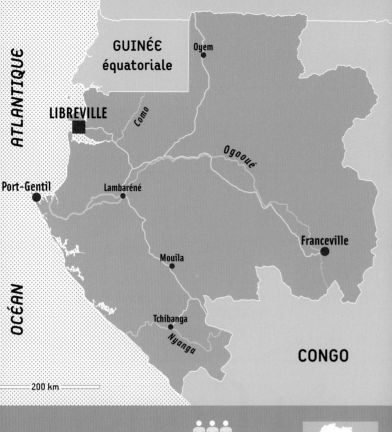

ATLANTIQUE

OCÉAN

GUINÉE équatoriale

Oyem

LIBREVILLE

Como

Port-Gentil

Lambaréné

Ogooué

Franceville

Mouila

Tchibanga

Nyanga

CONGO

200 km

superficie : 267 667 km²

population : 1,5 million

densité : 5,6 hab/km²

monnaie : franc CFA

Chutes de la Djidji, parc national d'Ivindo

Philippe Mory (1932)

Né sur les rives du fleuve Ogooué, il est considéré comme le père du cinéma gabonais. Fondateur du Centre national du cinéma, réalisateur du premier long métrage national (*Les Tams-tams se sont tus*, 1971), il participe au coup d'État de 1964 contre Léon Mba. Ministre de la Culture durant... vingt-quatre heures, il est ensuite incarcéré trois ans.

Le paradis des orchidées

À côté de leur beauté, l'engouement pour les orchidées vient des étonnants parfums qu'elles dégagent, des vertus aphrodisiaques de certaines, de leur étroite évolution avec les insectes, et de leur incroyable diversité surtout dans la partie nord du parc des monts de Cristal. Le Gabon a lui seul en compte plus de quatre cents espèces comme *Calyptrochilum emarginatum* avec ses tiges proches des lianes et pouvant dépasser 5 m de long, ou encore la très belle *Ansellia africana* surnommée l'orchidée léopard.

Immigration clandestine

Les candidats à l'immigration clandestine se chiffrent en dizaine de milliers par an et les étrangers en situation irrégulière sont estimés à quelque 400 000 (près de 1/3 de la population gabonaise). Terre de prospérité économique, eldorado pétrolier dans les années 1970, le pays a toujours attiré ses voisins d'Afrique comme les Béninois, Togolais, Burkinabés, Camerounais... Régulièrement, des migrants, souvent en provenance du Nigeria, débarquent des pirogues sur les plages du Gabon.

1472	Les Portugais pénètrent dans la région de l'estuaire.
1839	Début de la colonisation française
1886	Le Gabon devient une colonie française.

1956	Première exploitation pétrolière à Ozouri
1960	Indépendance
2009	Décès du président Omar Bongo, détenteur du record mondial de longévité au pouvoir (depuis 1967)

L'initiation du bwiti

Le culte du bwiti est une des plus importantes traditions mystiques du pays : toutes les ethnies du Gabon ont des initiés. Philosophie de la vie, culte des ancêtres, lien spirituel entre monde visible et monde invisible, le bwiti s'exprime avant tout par un rite de passage centré sur l'absorption d'une plante appelée iboga possédant des propriétés hallucinogènes. L'iboga est aussi reconnue scientifiquement car elle est utilisée dans le sevrage des addictions aux drogues dures, par exemple aux États-Unis.

1913 : Fondation du premier hôpital de Lambaréné par Albert Schweitzer.

Il reconstruit ensuite un deuxième hôpital en 1925, puis un troisième en 1927. Il reçoit le prix Nobel de la paix en 1952, avec lequel il termine la construction d'un village pour les lépreux. Après la mort du médecin en 1965, un quatrième hôpital est construit en 1981, toujours en activité.

La République
démocratique du Congo

Un « pays continent »

Troisième plus grand pays du continent, incroyablement riche en minerais (or, cuivre, fer, diamant, bauxite, etc.), détenteur d'un potentiel hydroélectrique susceptible d'alimenter toute l'Afrique australe, la République démocratique du Congo reste profondément divisée. Ses richesses naturelles sont réparties surtout à l'est et au sud, et ses routes sont déficientes. Le lourd héritage de la colonisation belge avec sa violence, son racisme ordinaire, son travail forcé et ses massacres, joint aux trente-deux ans de dictature de Mobutu Sese Seko, ont ruiné le pays sans réussir à renforcer l'unité nationale. À partir de 1996, un cycle de guerres civiles touche surtout l'est du territoire et contribue à faire du pays l'un des plus pauvres du monde. L'espoir économique vient de la Chine qui, en échange d'un accès aux matières premières durant une trentaine d'années, va construire de nombreuses infrastructures.

Le poulet bicyclette

Spécialité cuisinée en sauce, le poulet se dit « bicyclette » car, élevé en extérieur, il a couru, donc a fortifié ses muscles et a ainsi toutes les chances d'être délicieux.

La chanson des indépendances

« Indépendance cha cha to zui e, Ô l'indépendance, nous l'avons eue. » En janvier 1960 à Bruxelles, le jour même de la table ronde où se retrouvent leaders politiques congolais et autorités belges pour décider de l'avenir du pays, l'artiste Grand Kallé compose sa chanson mythique *Indépendance cha cha*. Les musiques congolaises (rumba, soukous) faisaient déjà danser toute l'Afrique depuis les années 1950 mais ce titre devient l'hymne de libération de tous les mouvements anticolonialistes du monde francophone.

Kinshasa, la cosmopolite

Des allures de ville à l'abandon, souvent sans voirie ni transports ni électricité, des conditions sociales entre débrouille et chaos, avec une population de plus de 10 millions d'habitants, Kinshasa est l'une des trois plus grandes villes du continent. Ses centaines d'ethnies et la multiplicité de ses langues produisent un brassage culturel facteur de richesse artistique qui transforme la survie en résistance créative.

La future centrale électrique du continent ?

Seuls 5 % de la population ont accès à l'électricité. Le premier barrage hydroélectrique d'Inga est construit en 1972, mais les années de guerre ajoutées à la mauvaise gestion ont mis la plupart des turbines à l'arrêt. Le fleuve Congo pourrait produire 100 gigawatts, Inga reste donc potentiellement le plus puissant complexe du monde. Une nouvelle phase Inga 3 est lancée en 2013 dont la moitié desservira l'Afrique du Sud et l'autre, les mines du Katanga.

Taxi collectif
dans une rue de Kinshasa

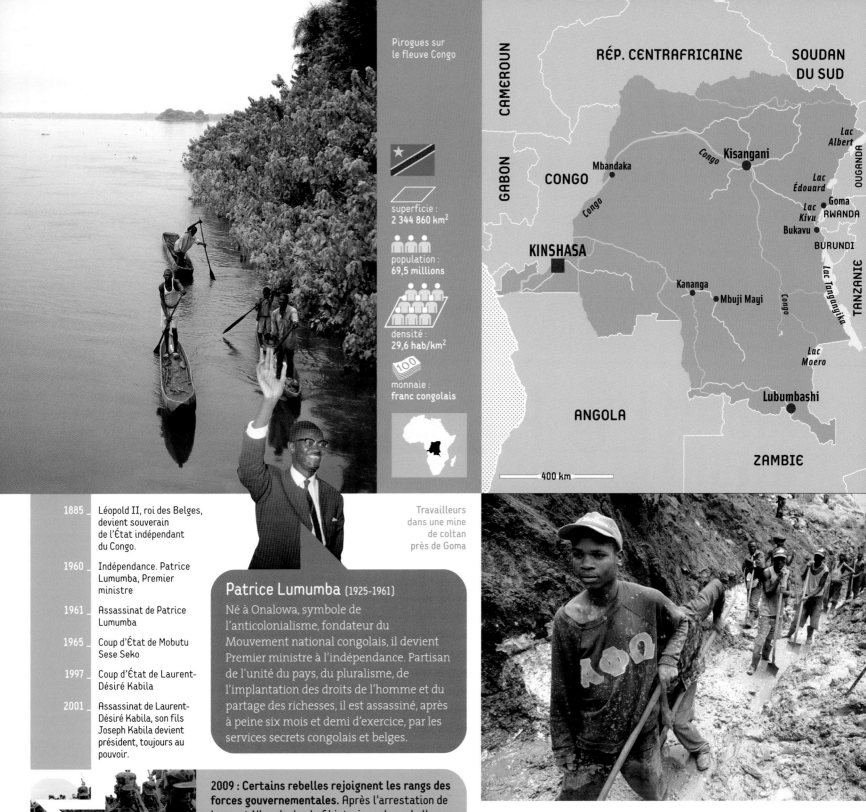

Pirogues sur le fleuve Congo

superficie :
2 344 860 km²

population :
69,5 millions

densité :
29,6 hab/km²

monnaie :
franc congolais

RÉP. CENTRAFRICAINE — SOUDAN DU SUD
CAMEROUN — CONGO — GABON
Mbandaka — Congo — Kisangani — Lac Albert — OUGANDA
Lac Édouard — Lac Kivu — Goma — RWANDA
KINSHASA — Bukavu — BURUNDI
Kananga — Mbuji Mayi — Congo — Lac Tanganyika — TANZANIE
ANGOLA — Lac Moero
Lubumbashi
ZAMBIE
400 km

Travailleurs dans une mine de coltan près de Goma

1885 — Léopold II, roi des Belges, devient souverain de l'État indépendant du Congo.

1960 — Indépendance. Patrice Lumumba, Premier ministre

1961 — Assassinat de Patrice Lumumba

1965 — Coup d'État de Mobutu Sese Seko

1997 — Coup d'État de Laurent-Désiré Kabila

2001 — Assassinat de Laurent-Désiré Kabila, son fils Joseph Kabila devient président, toujours au pouvoir.

Patrice Lumumba (1925-1961)

Né à Onalowa, symbole de l'anticolonialisme, fondateur du Mouvement national congolais, il devient Premier ministre à l'indépendance. Partisan de l'unité du pays, du pluralisme, de l'implantation des droits de l'homme et du partage des richesses, il est assassiné, après à peine six mois et demi d'exercice, par les services secrets congolais et belges.

2009 : Certains rebelles rejoignent les rangs des forces gouvernementales. Après l'arrestation de Laurent Nkunda, le chef historique des rebelles tutsi congolais, leur intégration à l'armée régulière de la République inaugure une nouvelle période. Désormais, les seuls ennemis du pays sont les rebelles hutu rwandais, réfugiés dans le pays, et dont une partie aurait participé au génocide de 1994 contre les Tutsi rwandais.

La guerre pour le coltan

Le coltan africain, qui représente 25 % de la production mondiale, est surtout situé au Kivu, à l'est du pays. Avec une forte demande mondiale, ce métal très rare est principalement utilisé pour la fabrication des ordinateurs portables, des téléphones mobiles et des consoles de jeux. Comme la plupart des minerais, le coltan est exploité sous le contrôle de bandes armées ou de mouvements rebelles qui le vendent illégalement à des multinationales pour financer leur lutte et acheter des armes. Ces guerres successives ont fait, en dix ans, plus de 5 millions de morts.

S'habiller, une seconde nature

La Société des ambianceurs et personnes élégantes, la Sape, mouvement de mode et de revendication de la jeunesse kinoise, prend son ampleur dans les années 1980. Le principe consiste à dépenser une petite fortune pour s'offrir des vêtements de grands couturiers, de préférence parisiens, et ensuite à déambuler dans les rues pour se montrer. Derrière la légèreté et l'ostentation, il y a, chez ces jeunes, une certaine autodérision et la volonté d'oublier les difficultés de la vie quotidienne.

Scarifications

Que ce soit à des fins esthétiques, thérapeutiques, mystiques ou d'appartenance ethnique, la scarification est courante. Chaque ethnie possède ses propres signes de reconnaissance : lignes, sur le visage, les bras, le ventre, entailles avec objet tranchant ou boursouflures réalisées à l'aide de petits cailloux introduits sous la peau...

Le Rwanda

Se reconstruire après le génocide

Connu pour ses plantations de thé et de café, avec une population agricole à 90%, « le pays des mille collines » exploite des parcelles même sur les versants les plus raides. Bordé par le lac Kivu, le Rwanda bénéficie d'une nature verdoyante, d'une faune et d'une flore de toute beauté, et d'une position centrale tournée vers l'Afrique de l'Est. Les Rwandais se remettent à peine de l'un des plus grands génocides du XXe siècle. Entre le 6 avril et le 4 juillet 1994, un million de Tutsi et quelques milliers de Hutu modérés sont massacrés par les extrémistes hutu, appelés à prendre armes et machettes par le gouvernement et la radio officielle Mille collines qui diffuse des messages de haine et d'appel aux meurtres. Depuis vingt ans, le pays cherche à se reconstruire par une politique volontariste de développement du secteur privé, de bonne gouvernance en matière de justice et de tolérance zéro face à la corruption. Il dépend encore beaucoup de l'aide internationale.

Le parlement des femmes

Première mondiale, les élections législatives de 2008 ont accordé quarante-cinq sièges sur quatre-vingts à des femmes. La Constitution prévoit que vingt-quatre sièges sont réservés aux femmes.

Les grands royaumes

Un des plus anciens royaumes avec une des sociétés les plus structurées du continent, le Rwanda était traditionnellement composé de trois groupes sociaux : les Tutsi, les Hutu et les Twa. Interdépendants sur le plan économique, pouvant se marier entre membres de différents groupes, les habitants du Rwanda s'appelaient les Banyarwanda, parlaient une langue commune, le *kinyarwanda*, et croyaient en un dieu unique, Imana. Les Tutsi étaient détenteurs du pouvoir politique à travers la royauté appelé le *mwami*.

Les ressources de gaz

Seuls 70 000 sur 11,2 millions de Rwandais bénéficient du courant électrique : le bois et les braises sont les principales sources d'énergie. Après la découverte de méthane au fond du lac Kivu il y a soixante-dix ans, ce gaz va enfin être exploité.

Les contrats de performance « citoyens »

Depuis 2008, le gouvernement a adopté une efficace politique d'émulation des citoyens sous la forme de « contrat de performance ». Chaque chef de famille signe une série d'engagements avec les autorités de son village ou de son quartier. Lutte contre la corruption, captation des eaux de pluie, scolarisation des enfants... les citoyens fixent eux-mêmes les objectifs à atteindre. Les élus locaux évaluent les résultats tous les trois mois et, s'ils risquent de perdre leur place en cas de mauvaises performances, les familles, elles, ne reçoivent qu'un blâme public.

Évacuation d'orphelins rwandais à Goma (République démocratique du Congo)

Préparation
de cultures
en terrasses

OUGANDA

Rép. dém. du
CONGO

Ruhengeri

Byumba

Gisenyi

Lac
Kivu

Nyabarongo

KIGALI

Kayonza

Gitarama

Lac
Cyohoha
Sud

Lac
Rweru

Butare

TANZANIE

BURUNDI

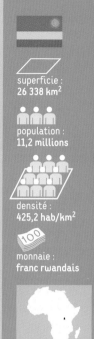

superficie :
26 338 km²

population :
11,2 millions

densité :
425,2 hab/km²

monnaie :
franc rwandais

Gardiens
de vaches
et leur troupeau

Agathe Uwilingiyimana (1953-1994)

Ministre de l'Enseignement, elle fut
Premier ministre du 18 juillet 1993 au 7 avril
1994, date de son assassinat par les Hutu
génocidaires de la garde présidentielle.
Hutu modérée, elle incarnait une
nouvelle dynamique attachée aux valeurs
républicaines, désireuse de dépasser les
affrontements ethniques et de placer la
citoyenneté au-dessus des différences.

Pourquoi le génocide de 1994 ?

Le manque chronique de terres, la crise des exportations de café et de
thé (entre 1985 et 1992), la paupérisation des petits fonctionnaires hutu
à cause du plan d'austérité imposé par les Occidentaux, et la mobilisation de plus de la moitié du budget de l'État par les dépenses militaires
ont favorisé de grandes frustrations et l'essor des milices extrémistes.
Un essor rendu possible car, depuis les années 1930, le colonisateur
belge avait réécrit l'histoire rwandaise et renforcé la division de la
société en « races ». Il exigeait une mention de l'ethnie sur les cartes
d'identité, alors que la notion d'ethnie en tant que telle n'existait pas
auparavant. Il entretenait la mise en scène d'une identité pastorale
tutsi jugée « supérieure » contre une identité agricole hutu considérée
comme « inférieure ». Bref, le colon et l'église belges soufflèrent sur les
braises de la haine et confortèrent le peuple dans l'idée que les 17 %
de Tutsi étaient une minorité étrangère à bannir du pays.

XVIᵉ siècle	Premiers royaumes rwandais unificateurs
1923	La Société des Nations ratifie le mandat belge sur le Ruanda-Urundi.
1962	Indépendance
1973	Coup d'État de Juvénal Habyarimana
1994	Le président Juvénal Habyarimana est tué dans un attentat. Génocide du 6 avril au 4 juillet.
2000	Paul Kagame président, toujours au pouvoir

Le culte de la vache

Corps osseux, hautes cornes, allure élégante, la
vache est le symbole de la société pastorale tutsi.
Parce qu'elle confère un certain prestige social,
qu'elle est un capital, que son lait se vend cher, et
qu'elle suscite un certain attachement affectif, la
vache, appréciée de toute la population, est omni-
présente, y compris dans les expressions courantes
de la langue nationale.

1994 : La France lance l'opération Turquoise.

Dès 1990, la France soutient la dictature hutu de
Habyarimana en envoyant armes et instructeurs
militaires. À l'époque on sait déjà que le pouvoir
rwandais souhaite exterminer les Tutsi. Arrivées le
22 juin 1994, les troupes de l'opération Turquoise,
non seulement ne s'opposent pas à la fuite des
troupes gouvernementales hutu, mais laissent des
Tutsi se faire massacrer sans intervenir.

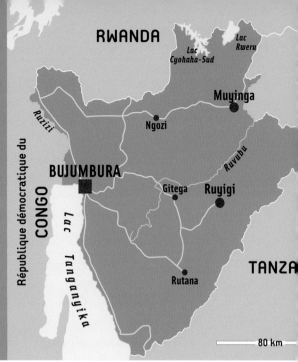

superficie :
27 830 km²

population :
8,7 millions

densité :
312,6 hab/km²

100

monnaie : franc
du Burundi

République démocratique du **CONGO**

RWANDA

Lac Cyohaha-Sud

Lac Rweru

Muyinga

Ngozi

Ruzizi

Ruvubu

BUJUMBURA

Gitega   **Ruyigi**

Lac Tanganyika

Rutana

TANZA

80 km

Le Burundi

Gouverner grâce aux quotas ethniques

Pays d'altitude à la végétation luxuriante, refuge des hippopotames et des crocodiles du lac Tanganyika, pauvre économiquement, le Burundi est l'un des plus petits États du continent. Sa population agricole, réputée pour son hospitalité et son optimisme, a traversé de nombreux conflits ethniques depuis l'indépendance, largement préparés et instrumentalisés par l'ancien colonisateur. Après douze ans d'une guerre civile entre Tutsi et Hutu ayant fait plus de 300 000 morts, le Burundi expérimente, à partir des accords de paix de 2003, un mode inédit de partage du pouvoir par l'établissement de quotas ethniques. Deux vice-présidents de deux ethnies différentes assurent la charge de l'État aux côtés du président Pierre Nkurunziza. Gouvernement comme assemblée nationale doivent comprendre 60 % de Hutu et 40 % de Tutsi.

Le café, un secteur fragile

Introduit dans les années 1930 par les Belges, cultivé entre 1 250 et 2 000 m d'altitude, le café assure aujourd'hui 80 % des devises du pays et fait vivre environ 800 000 familles. Le secteur est équipé d'usines de traitement très modernes avec trieuses aux ultraviolets, respect des normes de qualité internationales et équipes de dégustateurs expérimentés. Mais la production peut varier du simple au quadruple du fait des caprices du climat et de l'âge des plants.

Tambours royaux

Nommés *ingoma*, les tambours du Burundi sont un symbole politique depuis la fondation du royaume à la fin du XVIIᵉ siècle : considérés comme sacrés, ils sont alors liés au pouvoir royal. Ils ne restent d'ailleurs utilisés que par certaines familles, dans certains lieux et uniquement lors de rites ou d'occasions impliquant le roi *(mwami)*. Le tambour, haut en général de 1 m, est taillé dans le tronc d'un arbre assez rare, le *Cordia africana*.

Famille tutsi
dans l'enceinte
principale du
« rugo » (habitat
familial)

Le défi du retour des réfugiés

Jusqu'ici l'une des plus importantes populations réfugiées au monde, plus de 500 000 Burundais sont désormais rentrés chez eux surtout depuis la Tanzanie.

Hommes
transportant
des carottes

1923 — La Société des Nations ratifie le mandat belge sur le Ruanda-Urundi.

1962 — Indépendance

1972 — Tueries contre des Tutsi dans le cadre d'une insurrection hutu, suivies de massacres de Hutu par les Tutsi de l'armée nationale et du parti au pouvoir (100 000 morts)

2003 — Ralliement de la principale rébellion hutu au processus de paix

2008 — Cessation des hostilités signée entre l'État et le dernier mouvement rebelle hutu

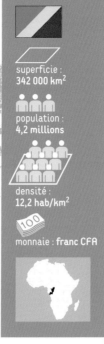

superficie : 342 000 km²

population : 4,2 millions

densité : 12,2 hab/km²

monnaie : franc CFA

CAMEROUN

Ouesso

GABON

Owando

Congo

Ogooué

Oubangui

République démocratique du CONGO

Dolisie

BRAZZAVILLE

Pointe-Noire

300 km

Jeunes jouant dans une rue de Brazzaville

Le Congo

Le poumon vert du continent

Irrigué de nombreux cours d'eau, lacs et chutes, le Congo est pour moitié recouvert d'une forêt dense pouvant être considérée comme la deuxième forêt primaire après l'Amazonie. Second pourvoyeur d'emplois, celle-ci se dégrade sous la pression des compagnies forestières étrangères. Au XVIe siècle, le puissant royaume du Kongo commerçait avec d'autres royaumes d'Afrique centrale, eux-mêmes en liaison avec le commerce swahili de l'océan Indien : premiers signes d'une intégration économique de la région. Dans les années 1930, la colonisation française laisse un mauvais souvenir avec la construction du chemin de fer Congo-Océan qui coûte la vie à au moins 20 000 ouvriers. Aujourd'hui, après des années de guerre civile, le régime reste corrompu et porte régulièrement atteinte aux droits de l'homme. Le pays, pauvre, bénéficie des revenus de son pétrole et se lance dans de grands travaux (route, barrage, voie ferrée).

Pointe-Noire, station balnéaire

Plages immenses, voile et ski nautique, casinos, discothèques et associations sélectes, Pointe-Noire est un haut lieu de villégiature. À 545 km de Brazzaville, la ville accueille les Congolais fortunés et la plus importante communauté d'expatriés. Là s'exhibe la culture urbaine : dandysme, frime, séduction et signes ostentatoires de richesse.

1706 — Kimpa Vita est brûlée vive pour avoir voulu soulever son peuple contre le colonisateur portugais.

1880 — Pierre Savorgnan de Brazza passe un accord de protectorat avec le souverain du royaume batéké.

1960 — Indépendance

1979 — Denis Sassou-Nguesso prend le pouvoir, et le perd en 1992.

1997 — Reprise du pouvoir par un coup d'État de Denis Sassou-Nguesso, toujours en poste

La marche de l'exploitation coloniale

Envoyé par la France pour explorer le fleuve Ogooué, le militaire Pierre Savorgnan de Brazza signe en 1880 un traité avec Makoko, roi des Batékés, et obtient des terres sur la rive droite du fleuve Congo. Explorateur, humaniste partisan de l'abolition de l'esclavage, il s'oppose, en 1897, sans succès, à la décision du gouvernement français de livrer le pays aux compagnies concessionnaires. Une « privatisation » du Congo qui leur laisse le champs libre pour exploiter la terre et mettre ses habitants au régime du travail forcé.

Le sapeur Bienvenu Mouzieto devant sa maison à Brazzaville. La Sape est la Société des ambianceurs et personnes élégantes.

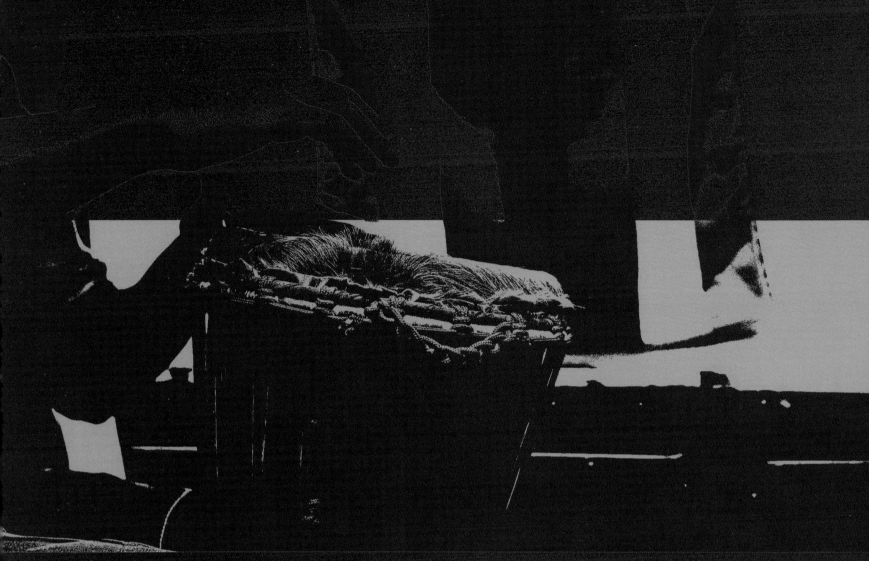

Joueur de djembé

Une création internationale, une pensée rebelle

Continent culturel dans la plupart des arts majeurs, ce sont surtout les romanciers et les intellectuels qui font voyager les idées et la pensée moderne africaine au-delà des frontières.

Le rayonnement des « arts nègres »

Au début du XXᵉ siècle, fortement influencés par l'abstraction inscrite au cœur de l'art africain, de grands peintres occidentaux (Picasso, Braque, Derain, Nolde, Kirchner) vont puiser une bonne part de leur inspiration dans ce que l'on appelle à l'époque « l'art nègre ». Petit à petit, ces « arts nègres », qui avaient été largement étouffés sous la colonisation, sortent vraiment de l'ombre et montrent très vite une volonté de dialogue entre Afrique continentale et diasporas noires du monde caraïbe et nord-américain. Après la Seconde Guerre mondiale, deux revues jouent un rôle central dans la diffusion des idées panafricaines : pour le monde anglophone, la revue nigériane *Black Orpheus* en 1957 et, pour le monde francophone, la revue *Présence africaine* dès

1947. Son directeur, Alioune Diop, organise le premier Congrès international des écrivains et artistes noirs en 1956 à Paris. Un véritable événement, car c'est la première fois que s'établit au grand jour le lien intellectuel entre Noirs africains et Noirs américains, de James Baldwin à Aimé Césaire en passant par Cheikh Anta Diop. Dans la lignée du *Portrait du colonisé* (1957), le best-seller mondial du Tunisien Albert Memmi, il s'agit alors de commencer à réécrire une histoire africaine affranchie du regard de l'Occident. En 1966, le Festival mondial des Arts nègres, organisé à Dakar par le président sénégalais Léopold Sédar Senghor, a un impact retentissant et fait rayonner, pour la première fois aux yeux du monde, les différentes cultures de la négritude.

De nouveaux événements culturels

Aujourd'hui, si le continent reste pauvre en matière de subventions accordées à la culture (les États n'y affectent jamais plus de 1 % de leur budget), cela n'empêche pas les manifestations culturelles de foisonner. À côté des quelques grands festivals installés de longue date : Fespaco au Burkina Faso, Rencontres de la photographie au Mali, Biennale des arts au Sénégal, African Heritage au Kenya, foires du livre en Algérie et au Zimbabwe, une série de rendez-vous culturels de haut niveau ont vu le jour ces dernières années. Citons les Rencontres chorégraphiques de Carthage, le Festival culturel panafricain d'Alger, le Festival international de jazz du Cap, le Festival de musique sacrée de Fès, le Forum mondial de la musique de Tunis, le Festival de danse orientale du Caire.

Une génération d'intellectuels affranchis

Les nouvelles générations d'aujourd'hui n'ont pas connu la colonisation, se sentent libres de tout complexe vis-à-vis des auteurs occidentaux, et peuvent affirmer leurs styles, leurs imaginaires, leurs audaces. Désormais, intellectuels francophones, anglophones et lusophones ont bien compris que la culture est toujours en mouvement, qu'elle permet de résister à la mondialisation et qu'elle se distingue par l'autonomie et la richesse d'une pensée souvent contestataire : le Somalien Nuruddin Farah dépeint la « dictature familiale » subie par les femmes de son pays ; le Togolais Sami Tchak ose aborder les sujets les plus tabous comme la sexualité féminine ; le Camerounais Achille Mbembe, dans le cadre de la « postcolonie », dresse un réquisitoire contre les despotes africains et dessine l'entrée de l'Afrique dans une nouvelle modernité avec son concept d'« afropolitanité ». Ce sont surtout les romanciers anglophones qui obtiennent une notoriété internationale avec le prix Nobel de littérature pour les Sud-Africains Nadine Gordimer et John Maxwell Coetzee et le Nigérian Wole Soyinka. Ce dernier ne cesse de rappeler la contribution originale du continent à la culture universelle : un savant mélange de pardon, de patience, de refus de la vengeance et de force du syncrétisme.

L'écrivain nigérian Wole Soyinka

La danse, art africain par excellence

Probablement inventée dès la préhistoire, avant même la sculpture et la peinture, la danse reste un des plus importants moyens d'expression artistique du continent qui a, en plus, la particularité d'être intégrée, sous ses aspects populaires, à la vie quotidienne. En milieu traditionnel et rural, il existe toute une série de danses différentes pour l'initiation, la possession, les funérailles ou encore les fêtes et spectacles. Aujourd'hui, en milieu urbain, est née une génération de jeunes chorégraphes qui ont su lier tradition et modernité et qui deviennent internationaux (Irène Tassembédo, Salia Sanou, Seydou Boro, Sihème Belkhodja, Kettly Noël, Opiyo Okachi, Robyn Orlin, Faustin Linyekula). Cette ouverture est rendue possible grâce aux travaux de défrichage et aux formations transmises par les pionniers de la danse moderne africaine dans les années 1970 (par exemple, Germaine Acogny). Tous s'appuient sur les fondamentaux de la danse continentale comme l'ancrage au sol et la force tellurique, le rythme et les battements du cœur, les pas d'animaux, les nouveaux flux d'énergie, le travail sur la colonne vertébrale, le dialogue avec le cosmos... En Afrique, la danse exprime avant tout une forme de spiritualité.

La troupe de Robyn Orlin

L'Afrique australe

Dominée par les hauts plateaux, et même par de hautes montagnes dans le Sud avec la chaîne du Drakensberg, l'Afrique australe est une grande région d'élevage et de minerais de toutes sortes. Dès le XIIIe siècle, le royaume du Great Zimbabwe atteint son apogée et, au XVIe siècle, l'empire du Monomotapa bénéficie d'un commerce florissant avec les comptoirs arabes du littoral (fer, or, ivoire et esclaves). Les îles de l'océan Indien connaissent de profonds métissages avec des influences arabe et surtout indonésienne ou indienne. Aujourd'hui, fort de la fin du régime d'apartheid en 1991, c'est l'Afrique du Sud qui domine économiquement l'ensemble du continent, et qui garde le leadership sur la région australe. Notamment par ses investissements miniers, une intense diplomatie de la médiation, son rôle incontournable dans les relations Sud-Sud, la recherche de nouvelles conditions de développement affranchies des tutelles étrangères, et par la personnalité emblématique internationale de combattant, de rassembleur et d'humaniste de Nelson Mandela.

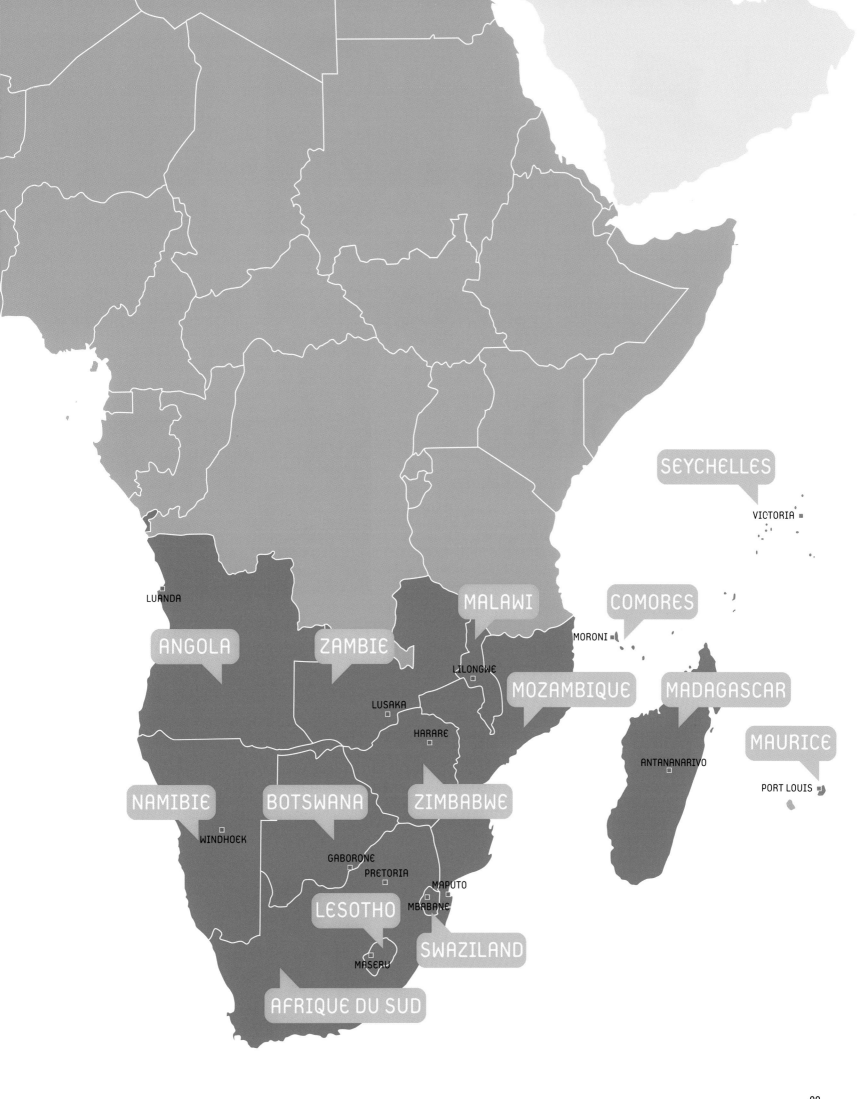

LUANDA

ANGOLA

ZAMBIE

LUSAKA

MALAWI

LILONGWE

SEYCHELLES

VICTORIA

COMORES

MORONI

MOZAMBIQUE

MADAGASCAR

MAURICE

HARARE

ANTANANARIVO

PORT LOUIS

NAMIBIE

BOTSWANA

ZIMBABWE

WINDHOEK

GABORONE

PRETORIA

MAPUTO

LESOTHO

MBABANE

SWAZILAND

MASERU

AFRIQUE DU SUD

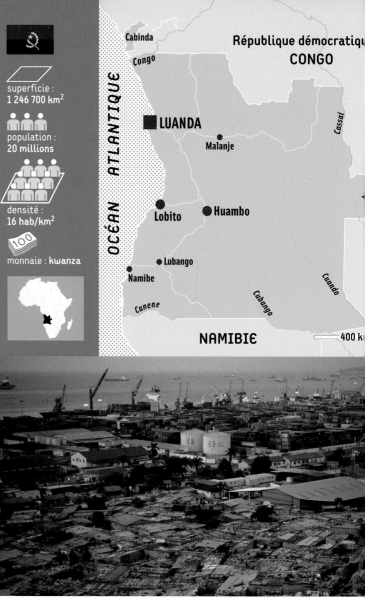

superficie :
1 246 700 km²

population :
20 millions

densité :
16 hab/km²

monnaie : kwanza

Cabinda
Congo
République démocratique
CONGO

OCÉAN ATLANTIQUE

LUANDA
Malanje
Lobito
Huambo
Cassai
Lubango
Namibe
Cunene
Cubango
Cuando
NAMIBIE
400 k

L'Angola

Une « oléocratie » riche, un peuple pauvre

Ancienne colonie portugaise, l'Angola bénéficie de 1 600 km de côtes et, au nord, du petit territoire enclavé de Cabinda, qui lui permettent de disposer d'immenses réserves pétrolières offshore. Depuis 2008, le pays est devenu le deuxième producteur de pétrole d'Afrique subsaharienne, mais il dispose aussi d'importants stocks de gaz et des plus grandes réserves de diamants du monde. L'Angola a été le théâtre de la plus longue guerre civile du continent au bilan très lourd : plus de 500 000 morts, 80 000 handicapés, à cause des mines antipersonnel, dont deux tiers demeurent sans prothèses, et 4 millions de personnes déplacées. C'est aujourd'hui la Chine et ses 100 000 ressortissants qui reconstruisent le pays avec notamment une ville nouvelle pour 500 000 habitants ! Pour la majorité de la population qui vit en dessous du seuil de pauvreté, les fruits de la manne des hydrocarbures ne se font pas sentir.

Port de Luanda

Boom immobilier et expulsions forcées

Depuis le boom pétrolier, les prix de l'immobilier ont monté de manière exponentielle à Luanda, une des capitales les plus chères du monde. Les terrains deviennent des enjeux considérables et on recense la destruction de plus de 3 000 maisons depuis le cessez-le-feu. Avec intimidations et parfois violence, des milliers de foyers pauvres sont expulsés illégalement vers les bidonvilles de la périphérie.

Des « diamants du sang » devenus légaux ?

Durant la guerre, certains mouvements rebelles finançaient leurs achats d'armes grâce à la vente illégale de diamants, appelés « diamants du sang ». Aujourd'hui, le pays exporte chaque année pour 10 millions de carats produits en toute transparence. Une amélioration sans doute due à la certification internationale Kimberley qui a pour objectif d'interdire le commerce de minerai en provenance de régions en guerre.

La capoeira, symbole révolutionnaire

Aujourd'hui art martial brésilien, la capoeira est à l'origine une technique de combat déguisée en danse inventée par les esclaves angolais déportés au Brésil.

Chercheur de diamants

XVIIᵉ siècle	Colonie portugaise. Trois siècles de trafic négrier : déportation de 5 millions de Noirs
1975	Indépendance, présidence d'Agostinho Neto (de 1975 à 1979), début de la guerre civile
1979	José Eduardo Dos Santos président, toujours au pouvoir
2002	Fin de la guerre civile
2011	Manifestations contre le régime réprimées dans le sang

La Zambie

Nature et culture préservées

Pays où le fleuve Zambèze prend sa source, arrosée de nombreux lacs et cascades, la Zambie a subi les deux chocs de la pénétration portugaise pour la recherche d'esclaves au XVIIe siècle, et de l'expropriation des terres pour l'exploitation des mines par les Britanniques au XIXe siècle. Aujourd'hui premier producteur mondial de cobalt, place qu'elle dispute à la République démocratique du Congo, et l'un des plus grands producteurs de cuivre avec la région de la Copperbelt, la Zambie assure aussi le cinquième de la demande mondiale d'émeraudes. Le pays reste pauvre et doit faire face à de longues coupures d'électricité qui fragilisent son économie. À la suite de leur expropriation du Zimbabwe, de nombreux fermiers blancs sont venus s'installer et ont contribué à développer l'agriculture avec des produits d'exportation (café, tabac, coton).

superficie : 752 614 km²

population : 13,8 millions

densité : 18,3 hab/km²

monnaie : kwacha

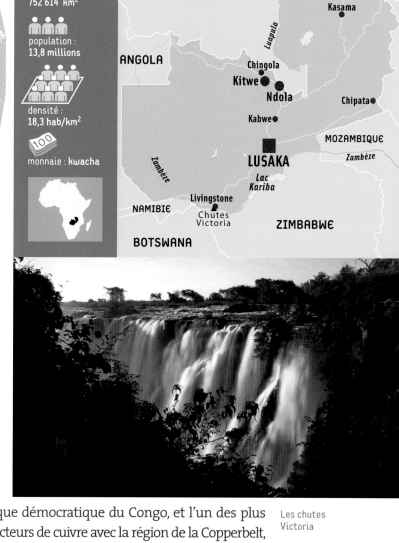

Les chutes Victoria

Une cérémonie royale vieille de 300 ans

À l'ouest du pays, le Barotseland accueille le peuple lozi qui célèbre chaque année au printemps la cérémonie du Kuomboka. Au moment où les plaines situées sur le haut Zambèze deviennent inondables et que les habitats se réduisent à des îles, la cour royale déménage vers des terres plus élevées. Au son des tambours, le roi lozi, appelé Litunga, embarque pour un périple de 15 km en une journée, sur une immense pirogue de bois peinte de rayures noires et blanches conduite par une centaine de bateliers.

La plus grande mine

Au cœur de la Copperbelt, à Chingola, se trouve le site de Nchanga, plus grande mine (cuivre) à ciel ouvert du continent.

Les chutes Victoria

Autrefois nommées « la fumée qui tonne », issues du fleuve Zambèze, les chutes Victoria sont considérées parmi les plus belles de la planète. La cascade fait 105 m de hauteur, son rideau près de 2 km de large et son débit peut atteindre 546 millions de m³ d'eau à la minute. Le spectacle est impressionnant : un rideau permanent d'écume blanche avec des embruns brouillant la vue, une douche de gouttelettes chaudes et... un vacarme audible à plusieurs kilomètres à la ronde !

Ouvrier de la Copperbelt tenant du cuivre

1855 — Le Britannique David Livingstone « découvre » les chutes Victoria, l'industriel Cecil Rhodes obtient le droit d'exploitation des mines du pays en 1890.

1924 — La Rhodésie du Nord devient colonie britannique.

1960 — Campagne de désobéissance civile pour la cause indépendantiste organisée par Kenneth Kaunda, disciple de Gandhi

1964 — Indépendance de la Rhodésie du Nord qui devient la Zambie

2011 — Élection du président Michael Sata

Le Zimbabwe

Un eldorado gâché

Pays d'une exceptionnelle diversité naturelle avec les hauts plateaux de l'Est, le parc national de Manapools et les fameuses chutes Victoria, le Zimbabwe est aussi d'une grande richesse culturelle avec le site de Great Zimbabwe et les grottes ornées de peintures rupestres du parc national de Matobo. Après la chute du régime raciste blanc de Rho-

désie qui menait une politique de discrimination à l'égard des Noirs, Robert Mugabe prend la tête d'un Zimbabwe indépendant. Il réussit à bâtir une économie solide, le « grenier à blé de l'Afrique australe », et à mettre en place un régime de santé et un système éducatif avec de très bons résultats. Mais, dès les années 1990, la combinaison d'un programme de rationalisation dicté par les organismes internationaux et de la politique de redistribution des terres du gouvernement conduit le pays à la déroute. Depuis 2000, quatre millions d'habitants ont quitté le pays !

Délires de l'hyperinflation

Au début des années 2000, pour trois millions de dollars zimbabwéens, on pouvait s'acheter une maison, à la fin de la décennie, on ne peut plus s'offrir qu'une cigarette !

Redistribution raciste des terres ?

À son arrivée au pouvoir en 1980, Robert Mugabe promet d'installer 162 000 familles noires sur des terres possédées par la communauté blanche. Héritage de la période coloniale, 45 % des terres fertiles étaient accaparées par une minorité de 6 500 fermiers. Dès 1997, il saisit 1 500 fermes pour les morceler dans l'objectif de les partager entre 150 000 familles noires. Mais, après avoir exproprié les fermiers blancs, le gouvernement installe surtout une élite bourgeoise noire proche du pouvoir, la plupart du temps sans compétences agricoles. De plus, avec le découpage en petites unités agricoles, des exploitations s'effondrent. Résultat : 80 % de la population est au chômage, même si la production remonte depuis 2009.

Un haut niveau de civilisation

Situé à quelque 300 km au sud de Harare, plus grande cité médiévale d'Afrique noire, le site de Great Zimbabwe est aujourd'hui en ruines, mais de grandioses enceintes de 11 m de haut, 5 m d'épaisseur faisant 255 m de circonférence sont encore debout. Construit depuis le XIᵉ siècle, cœur de la culture shona, capitale la plus riche d'Afrique australe grâce au commerce de l'or et de l'ivoire, d'un royaume qui s'étendait du Zimbabwe oriental jusqu'au Mozambique et au Botswana, le Great Zimbabwe connaît son apogée au XIIIᵉ siècle.

Une littérature protestataire

Parmi les figures les plus importantes de la littérature, on peut citer Tsitsi Dangarembga qui décrit, dans *Nervous Conditions*, la prise de conscience de l'oppression faite aux femmes dans la société africaine comme dans les milieux coloniaux britanniques ; Dambudzo Marechera, souvent appelé le Rimbaud zimbabwéen, explore l'identité noire dans *The black insider* ; Chenjerai Hove, ancien nationaliste déçu par le pouvoir, montre un pays brisé par les colons dans *Ancêtres*.

Fermier blanc fuyant après le pillage de sa propriété

superficie :
390 759 km²

population :
13 millions

densité :
33,2 hab/km²

monnaies :
dollar américain/
rand sud-africain

ZAMBIE

Zambèze

Lac
Kariba

HARARE

● Chitungwiza

▲ Chutes
Victoria

Kadoma ●

Mutare ●

Gweru ●

MOZAMBIQUE

Bulawayo ●

Great
Zimbabwe ▲

BOTSWANA

Shashe

Limpopo

⊢—— 200 km ——⊣

| XVᵉ- XVIᵉ siècle | L'empire du Monomotapa dure deux siècles. |

1885 : Début de la colonisation britannique par Cecil John Rhodes. En 1895, le pays, appelé Rhodésie du Sud, est fondé sur des principes ouvertement racistes. Dans les années 1930, une série de lois exclut les Africains de la propriété des meilleures terres arables, et interdit aux Noirs de s'implanter dans les zones blanches. La ségrégation est telle que les Noirs n'ont pas le droit de prendre les ascenseurs dans les immeubles commerciaux.

1965 – La minorité blanche du pays avec à sa tête Ian Smith déclare l'indépendance de la Rhodésie. Guerre civile de près de quatorze ans entre Blancs et Noirs (15 000 morts)

1980 – Indépendance, Robert Mugabe, Premier ministre, puis président en 1987, toujours au pouvoir

2000 – Durcissement du régime, accélération des expulsions forcées des agriculteurs blancs et occupations des fermes

2008 – Gouvernement de coalition : l'opposant Morgan Tsvangirai devient Premier ministre.

2014 – Robert Mugabe (90 ans), plus vieux chef d'État au monde, continue l'arrestation d'opposants, de militants des droits de l'homme et de journalistes.

Éléphant bousculant un buffle

Jusqu'à fin 2008, 1 dollar américain équivalait à 40 millions de dollars zimbabwéens. La monnaie nationale n'a plus cours depuis cette date.

Doris Lessing (1919-2013)

Née en Iran de parents anglais, elle arrive à l'âge de six ans en Rhodésie du Sud. Écrivain, prix Nobel de littérature 2007, féministe, elle secoue les idées conservatrices avec son roman *Le Carnet d'or*. Ancienne communiste, elle lutte contre injustices et colonialisme, se bat contre la politique d'apartheid de la Rhodésie et pour l'indépendance du Zimbabwe.

La question des éléphants

Sur une population totale de 80 000 éléphants, les autorités estiment que leur capacité d'accueil est de 35 000. Trop nombreux, les éléphants dévastent terres cultivées, brousse et participent au déboisement. Mais les écologistes défendent leur rôle indispensable dans l'écosystème complexe du Bushveld. Contraception, abattage ou déplacement sont donc les solutions qui s'offrent pour la gestion de cette faune.

L'étendard de la culture nationale

Groupe vocal de culture ndebele, les dix chanteurs du Black Umfolosi se sont surtout fait connaître pour leur danse gumboot, inspirée d'Afrique du Sud mais effectuée avec des bottes de mineurs. Ils sont adeptes du style imbube, qui rappelle le gospel : un chanteur lance une mélodie, le groupe lui répond en harmonies vocales. Leurs compositions font souvent appel à des surprises vocales : cliquetis de gorge, bruits secs, et cris...

Le Mozambique

Une conversion démocratique récente

Avec ses plus de 2 000 km de côtes, cette ancienne colonie portugaise sert de débouché à la mer pour plusieurs de ses voisins. Sa capitale, Maputo, relativement épargnée par la guerre civile, avec ses grandes allées et ses vues plongeantes sur la baie, garde son charme même si elle se modernise à grande vitesse pour accueillir de grandes conférences internationales. Après la longue et sanglante guérilla, soutenue par le régime d'apartheid sud-africain, menée par le Renamo (Résistance nationale du Mozambique), le pays semble plutôt bien réussir sa transition post-conflit. Ennemie d'hier, l'Afrique du Sud est devenue un partenaire qui achète l'électricité mozambicaine et accueille de très nombreux travailleurs, même illégalement. Le gouvernement fait des efforts pour lutter contre la corruption, mais reste tributaire de l'aide internationale.

À bord d'un taxi-brousse

L'ambition économique

De nouveaux investissements réalisés depuis 2003 dans la fonderie d'aluminium Mozal II font que ce métal compte pour la moitié des exportations. Les crevettes, l'électricité, le charbon et surtout le gaz naturel (4e réserve au monde) arrivent en tête dans les revenus du pays. Mais les principales préoccupations du gouvernement sont surtout les grands chantiers, avec la construction d'un pont sur le Zambèze, la réhabilitation des routes et des chemins de fer, les projets de centrales électriques.

À l'époque des grandes compagnies

À partir de 1890, le Portugal, pour faire fructifier sa colonie, invente le concept de « compagnies majestatiques ». Il s'agit de vendre pour une période de cinquante ans à la sous-traitance étrangère de vastes zones géographiques sur lesquelles elle bénéficie du monopole du commerce et doit assurer elle-même l'ordre public. Ainsi, par exemple, la Compagnie du Nyassa (capitaux britanniques) obtient, au nord, le quart de la superficie du pays ! La période est marquée par travail forcé, corvées et de nombreuses rébellions ouvrières.

Stars des fonds marins

Requins-baleines, raies mantas, barracudas, marlins, thons, dauphins, pieuvres, dugongs, langoustes... le pays abrite une faune sous-marine exceptionnelle. De très nombreux Sud-Africains y séjournent et de nombreux records mondiaux de pêche au gros ont été atteints. Officiellement, aucun poisson de plus de 6 kg ne peut franchir les frontières du pays.

Vestiges révolutionnaires

Marx, Engels, Lénine, Mao, Lumumba, Nkrumah, Nyerere... chacun des dirigeants communistes ou progressistes internationaux a son nom de rue à Maputo.

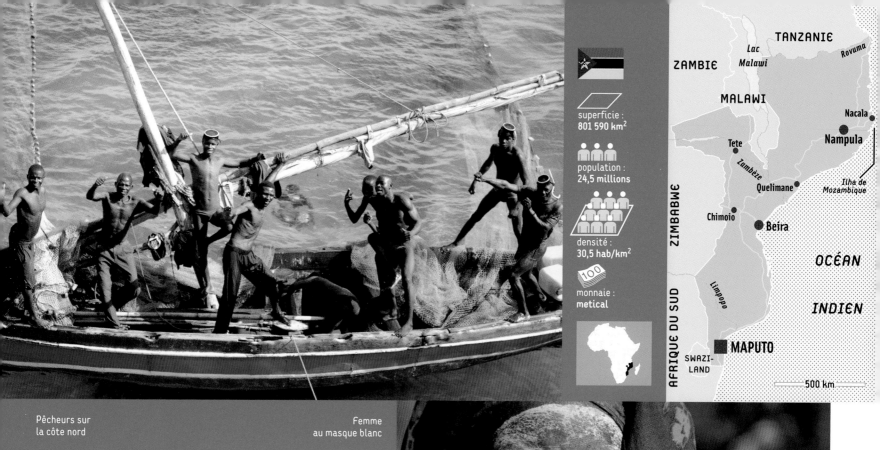

superficie :
801 590 km²

population :
24,5 millions

densité :
30,5 hab/km²

monnaie :
metical

TANZANIE

ZAMBIE

Lac Malawi

Rovuma

MALAWI

Nacala

Tete

Nampula

ZIMBABWE

Zambèze

Quelimane

Ilha de Mozambique

Chimoio

Beira

OCÉAN INDIEN

AFRIQUE DU SUD

Limpopo

MAPUTO

SWAZI-LAND

500 km

Pêcheurs sur
la côte nord

Femme
au masque blanc

Les ravages des mines antipersonnel

Les mines antipersonnel tuent ou mutilent une centaine de personnes par an et elles menacent jusqu'à deux mille collectivités dans les régions de Makondé, de Namaacha, de Sambezia. On estime que deux millions de mines enfouies lors de la guerre civile sont encore actives. Depuis 2006, les équipes de déminage travaillent avec des rongeurs, experts pour dénicher les explosifs. Elles ont déjà « nettoyé » 2, 8 millions de m² de terres rendues aux populations locales.

Graça Machel (1945)

Combattante au Frelimo pour l'indépendance du Mozambique, ministre de l'Éducation, elle épouse le président Samora Machel puis, après son décès, devient la femme de Nelson Mandela. Elle s'est toujours engagée en faveur des femmes, des pauvres, des malades du sida et des victimes des mines antipersonnel. Elle a aussi osé fortement critiquer le président zimbabwéen en 2008.

L'affaire Carlos Cardoso

Journaliste renommé, Carlos Cardoso était le fondateur du journal *Mediafax* décrit par le *New York Times* comme étant à l'avant-garde de la presse libre en Afrique. En 2000, il est assassiné parce qu'il enquêtait sur le plus grand scandale financier du pays et sur la face cachée du boom de l'immobilier : deux affaires qui impliquent de très hautes personnalités du milieu bancaire jusqu'au fils du président de la République de l'époque, Joaquim Chissano. Traumatisme national, l'affaire aboutit, en 2003, à la condamnation de six personnes à des peines de prison. C'est la première fois que les meurtriers d'un journaliste sont jugés et condamnés sur le continent.

1400 _ L'empire du Monomotapa dure deux siècles.

1498 _ Le Portugais Vasco de Gama « découvre » (pour les Européens) le pays qui devient colonie portugaise au XVIIᵉ siècle.

1975 _ Indépendance, Samora Machel président

Femmes au masque blanc

Dans le Nord, notamment sur l'Ilha de Mozambique, les femmes Macua portent un masque blanc sur la peau. Le bois, extrait de l'arbre mussiro, est réduit en poudre et mélangé à de l'eau pour former une pâte que l'on applique sur le visage. Ce masque est à la fois une protection solaire, un produit cosmétique qui nourrit la peau, et aussi un traitement médical.

1979 : Début de la guerre civile opposant le Frelimo, parti marxiste au pouvoir, aux membres de la Renamo, un groupement paramilitaire soutenu par l'Afrique du Sud et les États-Unis. Celui-ci déclenche des sabotages (routes, écoles, hôpitaux) et entretient une vague de terreur avec des massacres de paysans durant treize ans (1 million de morts, 4 millions de déplacés).

1989 _ Le gouvernement abandonne toute référence au marxisme et ouvre le pays à l'économie de marché.

1992 _ Fin de la guerre civile

1994 _ Premières élections pluralistes

superficie :
118 484 km²

population :
15,8 millions

densité :
133,3 hab/km²

monnaie :
kwacha malawite

200 km

Enfants pêchant
dans le lac
Malawi

Le Malawi

Le « chaleureux cœur de l'Afrique »

S'étirant sur 840 km du nord au sud pour une largeur moyenne de seulement 160 km, le pays bénéficie du lac Malawi, troisième plus grand du continent, et ses cinq cents espèces de poissons. Dès le début du XIXe siècle, le Malawi a été fortement ponctionné par le commerce d'esclaves des marchands portugais et arabes. Les colons britanniques vont certes éradiquer l'esclavage en 1895, mais forcer ensuite les hommes à travailler dans les mines de Rhodésie du Nord : un homme sur cinq dans les années 1930.

Aujourd'hui, le pays produit du sucre, du thé et surtout du tabac qui génère 70 % des recettes à l'exportation, mais dont la culture en expansion accélère la déforestation. Sa population, essentiellement rurale, dépend des conditions climatiques pour ses besoins alimentaires, et reste considérée comme l'une des plus amicales et chaleureuses de la région.

XIXe siècle	Expansion de la traite est-africaine, les commerçants d'esclaves arabes remplacent les Portugais.
1891	Protectorat britannique sur le Nyassaland qui devient colonie en 1907
1964	Indépendance du Malawi, domination politique autoritaire de Hastings Kamuzu Banda durant près de 30 ans
1994	Premières élections démocratiques
2012	Investiture de la militante féministe Joyce Banda, présidente de la République, deuxième femme chef d'État du continent

Femmes revenant
du puits

Impressionnants aigles pêcheurs

Fréquent autour du lac Malawi, l'aigle pêcheur peut mesurer 2,40 m d'envergure et plonge sous l'eau pour attraper des poissons.

La révolution de l'aliment thérapeutique

Le Plumpy'Nut est un « aliment thérapeutique prêt à l'emploi » qui permet de traiter à domicile un enfant souffrant de malnutrition sévère. Produit révolutionnaire, il apporte les nutriments requis et peut être conservé, même dans des conditions d'hygiène imparfaites, en milieu tropical pendant trois mois. C'est au Malawi que les preuves de son efficacité ont été faites et il est aujourd'hui distribué à des centaines de milliers d'enfants du monde par l'Unicef et Médecins sans frontières.

Un modèle agricole pour le continent ?

En 2005, le pays fait face à une grave sécheresse. Pour mettre fin à la famine et contre l'avis des bailleurs de fonds internationaux, le gouvernement décide de subventionner 1,5 million d'agriculteurs. Afin de leur permettre de produire leurs propres cultures vivrières, il leur donne accès aux semences de maïs et aux engrais. La production atteint alors plus du double des besoins nationaux et le pays connaît aujourd'hui la sécurité alimentaire.

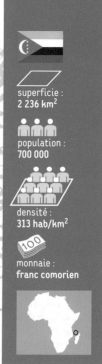

superficie :
2 236 km²

population :
700 000

densité :
313 hab/km²

monnaie :
franc comorien

OCÉAN INDIEN

GRANDE
COMORE

MORONI

Khartala

Mutsamadu

Fomboni   ANJOUAN

MOHÉLI

MAYOTTE
(France)

Canal de Mozambique

100 km

Les Comores

L'archipel aux incessantes querelles

Bien que parlant les mêmes langues (comorien et kiswahili) et pratiquant la même religion (islam sunnite), les quatre îles (dont Mayotte, la Française) de la zone ont toujours développé des particularismes locaux déclencheurs de conflits. Dès le XIIIᵉ siècle, début de l'ère des sultanats, on les appelle « l'archipel des sultans batailleurs ». Et encore aujourd'hui, les velléités d'autonomie de chacune des îles posent à chaque fois des problèmes au pouvoir politique central. Sans doute du fait de leur localisation stratégique – deux tiers des tankers pétroliers du Moyen-Orient circulent non loin des côtes –, les Comores ont essuyé une vingtaine de coups d'État depuis leur indépendance, souvent commandités par la France. La majorité de la population de l'archipel vit au-dessous du seuil de pauvreté, d'où l'immigration clandestine vers la plus développée Mayotte.

Cratère
du Karthala

Karthala, plus grand cratère du monde

Toujours en activité, le volcan Karthala de la Grande Comore est constitué de plusieurs cratères mesurant 3 à 8 km de diamètre.

Tradition et dépenses du Grand Mariage

Le *anda*, ou Grand Mariage, est une tradition millénaire qui oppose aujourd'hui les anciens, partisans de cette obligation sociale, et les plus jeunes qui la regardent surtout comme une formidable source de dépenses allant jusqu'à certains déséquilibres économiques. Intronisant le nouveau marié comme notable intégré à la société, le mariage est célébré seulement lorsque le fiancé a une situation et qu'il a réuni un pécule suffisant. Ainsi, des réformateurs proposent d'appliquer un minimum de régulation pour limiter le gaspillage.

La « fleur des fleurs »

Les Comores sont le premier producteur mondial d'ylang-ylang, dont la fleur à l'odeur douce et capiteuse, est principalement extraite dans l'île d'Anjouan avec 50 t par an. Après distillation, la fleur est transformée en une huile essentielle très recherchée par les grands parfumeurs. Son essence est aussi utilisée en aromathérapie.

Fête de mariage
sur l'île d'Anjouan

1886 _ Protectorat français, devenu colonie française en 1912

1975 _ Indépendance des trois îles (Grande Comore, Mohéli, Anjouan), excepté Mayotte qui reste territoire français

1995 _ Instauration par la France de visas pour entrer à Mayotte. Depuis, chaque année, 20 000 Comoriens sont expulsés de Mayotte, et 500 périssent en mer.

1997 _ L'île d'Anjouan et l'île de Mohéli font sécession, chacune de leur côté, et proclame leur indépendance.

2001 _ Naissance de l'Union des Comores réunissant Grande Comore, Mohéli et Anjouan

ÉTHIOPIE

SOMALIE

KENYA

TANZANIE

OCÉAN

MOZAM-
BIQUE

COMORES

MADAGASCAR

Praslin

Île du Nord

La D

Mamelles

Silhouette   Îles aux
Récifs   Fr

VICTORIA ■

MAHÉ   • Anse Royale

40 km

MAHÉ

Groupe
des Amirantes

Groupe d'Alphonse

Groupe
d'Aldabra   Atoll de
Cosmoledo   Groupe
de Farquhar

INDI

600 km

Les Seychelles

Du dépaysement à l'écotourisme

Grâce à leurs cent quinze îles, les Seychelles disposent d'une zone économique exclusive de 1 340 000 km². Une importance stratégique pour ce petit pays qui a concentré son économie sur le tourisme haut de gamme et y emploie 30 % de la population. Les exportations, pêche et conserverie de thon, sont, depuis 2008, touchées par la recrudescence de la piraterie dans l'océan Indien. Température égale, quasi absence de cyclones, plages exceptionnelles comme celle de l'Anse Lazio, les Seychelles réussissent à marier deux univers très différents : prestations de luxe et écotourisme avec, entre autres, les îles-hôtels situées dans un environnement naturel préservé. Aujourd'hui, le pays est passé à l'économie de marché, après avoir connu un régime communiste durant près de trente ans. Les Seychellois ont bénéficié d'un enseignement et d'un système de santé gratuits et de qualité, tout en évitant les situations de grande pauvreté.

Les habitants les plus riches d'Afrique

D'environ 11 640 dollars américains, le revenu national brut par habitant est le premier d'Afrique, et le mode de vie des habitants est plus européen qu'africain.

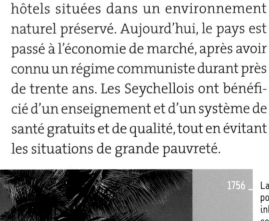

Des îles, bases pour les pirates

Sur les routes commerciales en direction des Indes, dès le XVIIe siècle, les pirates utilisent les Seychelles comme cache, base de repli et lieu de ravitaillement en eau et nourriture. Épices, thé, bois exotiques, soie, mais surtout pièces d'or, lingots et pierres précieuses sont entreposés dans les îles. Le Français Olivier Le Vasseur et l'Anglais George Taylor sont restés célèbres pour avoir réalisé le plus gros forfait de l'histoire de la piraterie en capturant le vaisseau portugais *Vierge du Cap*.

150 000 tortues géantes

Installées sur l'atoll d'Aldabra (inscrit au patrimoine mondial de l'humanité), les tortues terrestres géantes sont estimées à plus de 150 000. Elles mesurent jusqu'à 1 m de haut, 1,25 m de long, pèsent 200 kg et peuvent vivre 300 ans. Aujourd'hui, l'accès du site reste réglementé : seuls les scientifiques et quelques rares touristes ont la possibilité d'y accéder.

Rue de Victoria
sur l'île de Mahé

La plage d'Anse
Source d'Argent

1756 — La France prend possession d'îles inhabitées, la véritable colonisation débute en 1770.

1814 — Les Anglais deviennent maîtres du pays.

1976 — Indépendance

1977-2004 — France-Albert René président

2013 — L'archipel est pour la première fois frappé par un cyclone, le président James Michel fait appel à l'aide internationale.

superficie :
2 040 km²

population :
1,3 million

densité :
637,2 hab/km²

monnaie : roupie mauricienne

Îles Agaléga

OCÉAN INDIEN

St-Brandon

MADAGASCAR

MAURICE   Île Rodrigues   Île Plate   Île Ronde

La Réunion (France)

Îles Mascareignes

Coin de Mire

900 km

Île d'Ambre

Pamplemousses

OCÉAN

PORT LOUIS

Flacq

Beau Bassin

Tamarin   Île aux Cerfs

Curepipe

Mahébourg

Péninsule du Morne Brabant

INDIEN

Souillac

20 km

Maurice

Entre deux ou trois mondes

Le Clézio
Le chercheur d'or

Connue pour ses nénuphars géants, son jardin des Pamplemousses aux cinq cents espèces végétales, et ses plages à lagon turquoise et barrière corallienne, Maurice est une véritable mosaïque de peuples d'origine européenne, africaine et asiatique. Les Indo-Mauriciens, majoritaires, tiennent l'administration et le pouvoir politique. Les Franco-Mauriciens (2 %) détiennent les rennes de l'économie. Les Créoles noirs (un quart de la population) se sentent à l'écart du développement. Maurice a été colonisée par les Portugais, les Hollandais, les Français et les Anglais et a subi les marques de l'esclavage. Les émeutes de 1999 entre Créoles et Hindous font exception sur une île réputée pour sa grande tolérance ethnique et religieuse. Auparavant fondée sur la canne à sucre et le textile, l'île se reconvertit aujourd'hui dans les services (*call centers*, produits financiers offshore...) et le tourisme.

La marche sur le feu

Les habitants d'origine indienne sont en grande majorité de religion hindoue ou tamoule. Lors de la cérémonie du Teemeedee, les croyants se purifient durant dix jours par l'abstinence, la méditation et la prière. Ils se rendent ensuite au temple pour traverser, à pas lents et sans faillir, un brasier de charbons ardents disposé au sol. Ils implorent à ce moment la clémence divine pour ce témoignage de pureté où il s'agit d'expier ses péchés, de remercier une divinité pour des bienfaits accordés, ou d'exaucer un vœu.

Le paradis des... hôtels cinq étoiles luxe

Le secteur de l'hôtellerie de luxe a presque complètement investi le littoral. Jouant la carte du bungalow individuel, du spa/centre de beauté et du service haut de gamme, les grands hôtels se font une concurrence effrénée pour attirer les touristes européens, australiens ou japonais. Petite île attachée à Maurice, Rodrigues commence à redouter une expansion immobilière. Quelque 60 000 personnes travaillent dans l'hôtellerie.

1598 — Les Hollandais débarquent, introduisent la canne à sucre et l'esclavage.

1835 — Abolition de l'esclavage sur l'île, l'importation d'esclaves a cessé en 1833.

1834-1920 — Émigration de 450 000 Indiens pour cultiver la canne à sucre et remplacer les esclaves dans les plantations

1968 — Indépendance

2005 — Navin Ramgoolam élu Premier ministre, toujours en fonction

Marche pieds nus sur les braises

Mauriciennes devant un champ de cannes à sucre

Madagascar

Au carrefour de l'Afrique et de l'Asie

Quatrième plus grande île du monde, véritable paradis forestier primitif, riche d'une faune tellement variée que l'on peut la comparer à une arche de Noé, Madagascar est une terre afro-asiatique. Au départ, peuplée par de nombreuses migrations venues d'Afrique et aussi de l'aire indonésienne, Madagascar forme ses premiers royaumes au XIVᵉ siècle. Au début du XIXᵉ siècle, la dynastie merina entreprend d'unifier les différents peuples de la « Grande Île », souvent par la force, et domine l'île depuis les hauts plateaux proches de la capitale. Une rivalité entre habitants des « plateaux », considérés comme plus favorisés par le pouvoir, et « côtiers » est ainsi entretenue et encore présente aujourd'hui. Dans un pays pauvre à majorité rurale, le gouvernement compte améliorer son économie par la construction de deux projets miniers pharaoniques exploitant ilménite, nickel et cobalt.

Combats de zébus

L'île de Sainte-Marie organise des combats de zébus, dont les cornes sont protégées pour éviter les blessures graves, qui se terminent par la fuite d'une des bêtes.

Terre de vanille

Madagascar est le premier producteur mondial de vanille avec environ 1 500 t par an. Issue d'une orchidée, cultivée surtout dans le nord-est, la meilleure vanille doit faire plus de 15 cm, être d'un noir très foncé et avoir perdu toute son humidité. Parfois rare du fait des cyclones, la vanille fait l'objet de trafics, sa fabrication est donc très surveillée : contrôles policiers sur les routes et ateliers de production entourés de barbelés.

Tabous et interdits

La vie quotidienne des Malgaches est empreinte de *fady*, interdits ou tabous hérités des ancêtres et perçus comme le fruit de leur sagesse. Ils sont propres soit à une famille, soit à un site, ou à une cérémonie, et d'autres sont plus collectifs. On peut, par exemple, ne pas avoir le droit de marcher devant tel arbre sacré, ou ne pas pouvoir consommer de viande de porc. Enfreindre un *fady*, c'est se rendre coupable d'une faute grave envers un ancêtre et s'attirer un malheur.

Un lémurien :
le maki brun
de Madagascar

Les lémuriens vieux de 25 millions d'années

On ne trouve ces mammifères que sur la Grande Île et aux Comores. Parents des singes, divisés en plus d'une trentaine d'espèces, ils ne descendent que très rarement de leurs arbres, se nourrissent de feuilles, de fruits et d'insectes et leur taille varie d'une dizaine de centimètres à environ 75 cm. La plupart vivent la nuit et se déplacent par sauts d'arbre en arbre. Ils sont parfois tués par des paysans qui les considèrent comme des animaux de mauvais augure.

L'insurrection de 1947

C'est sur la côte est, dans la grande région productrice de café, où les abus, les réquisitions et la pression du pouvoir économique colonial ont été les plus forts, qu'éclate la rébellion malgache dans la nuit du 29 au 30 mars 1947. Dès le lendemain de l'insurrection, les colons français répliquent de manière brutale : incarcérations, pratique de la torture, climat de peur généralisée, intervention de l'aviation jusqu'à l'écrasement de la révolte à l'automne 1948, avec un bilan d'au moins 40 000 morts.

MORES
Antsiranana
Mayotte
(France)

Mahajanga

Toamasina
ANTANANARIVO

Antsirabé

Fianarantsoa

Toleara

OCÉAN INDIEN

300 km

superficie :
587 040 km²

population :
22 millions

densité :
37,4 hab/km²

100

monnaie : ariary

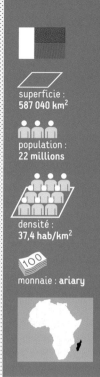

Allée de baobabs
à Morondava

1787	Le roi Andrianampoinimerina commence une politique d'unification du royaume.
1896	Annexion française, les colons français sont présents depuis 1643.
1947	Insurrection contre la présence française
1960	Indépendance

1972-1975 : Révolution socialiste malgache contre la politique du gouvernement jugée trop néocolonialiste. Sous la direction de Didier Ratsiraka, le pays évacue les bases militaires françaises, quitte la zone franc, nationalise les grandes entreprises à capitaux français et se rapproche des pays socialistes. Engagé sur la voie du marxisme, le président publie même un « Petit Livre rouge malgache ».

2002	Violentes manifestations populaires et grève générale suivies de l'élection de Marc Ravalomanana
2014	Hery Rajaonarimampianina élu président de la République

Dans une école
d'Antananarivo

Retournement des morts

Le *famadihana*, « deuxième enterrement », ou retournement des morts, au départ coutume de l'ethnie merina, a été adopté par de nombreuses autres communautés. Plusieurs années après le décès, à une date fixée par un sage, les descendants du mort vont le déterrer pour changer son linceul. La cérémonie, qui est en même temps une fête avec repas, musique et invités, a pour but de rappeler au défunt combien il reste présent dans les mémoires.

Ranavalona III (1862-1917)

Dernière reine de Madagascar, elle incarne la fierté malgache en s'opposant au protectorat français sur l'île. En 1895, le peuple à ses côtés, elle tente de résister, puis décide de capituler devant les troupes françaises pour éviter un bain de sang. Faite prisonnière, elle est exilée à La Réunion puis en Algérie où elle vit en résidence surveillée jusqu'à sa mort.

Vitalité de la littérature malgache

Jean-Luc Raharimanana publie, dans un français poétique, des textes dénonçant la corruption, le passé colonial et la « Françafrique ». Avec son *Madagascar, 1947*, il rédige un essai corrosif sur la répression de l'insurrection malgache. Julien Rakotonaivo, dans ses *Échos et murmures du temps jadis*, travaille à la préservation des authenticités culturelles. Michèle Rakotoson puise dans la richesse des joutes oratoires traditionnelles et dénonce la prostitution (*Juillet au pays. Chroniques d'un retour à Madagascar*).

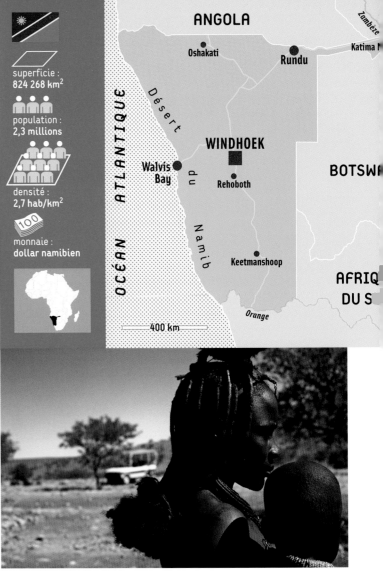

superficie : 824 268 km²	
population : 2,3 millions	
densité : 2,7 hab/km²	
monnaie : dollar namibien	

La Namibie

Le « pays du grand vide »

Pays des rhinocéros noirs et de la migration des baleines, mais aussi du Fish River Canyon et de la plus grosse météorite du monde (Hoba), ce sont surtout les paysages exceptionnels qui font la beauté de la Namibie. Encore deuxième productrice d'uranium du continent, elle reste dépendante de l'exportation de ses minerais (diamants). Longtemps considéré comme une source de matières premières et de main-d'œuvre par ses différents colonisateurs, le pays a été exploité et mutilé par le régime de l'apartheid mis en place par l'Afrique du Sud dès les années 1950. Les très fortes inégalités sociales d'aujourd'hui sont l'héritage de ces quarante années de ségrégation. Quelques milliers de fermiers blancs possèdent la majorité des terres cultivables. Une politique de redistribution se révèle donc très délicate.

Femme himba

La vie hors du temps des Himbas

Appartenant à l'ethnie herero, les Himbas s'implantent au XVIᵉ siècle dans la région du Kaokoland au nord-ouest du pays. Peuple pastoral animiste, ils n'ont pas changé de mode de vie depuis trois siècles. Presque nus, utilisant le fameux onguent rouge comme du savon et pour se protéger la peau, ils se nourrissent de racines, de chasse et mènent leurs bêtes sur de très grandes distances. Lors de leurs déplacements, ils laissent les objets de leur quotidien sur place et prévoient de les retrouver à leur retour, même longtemps après.

Les plus hautes dunes du monde

Situées près de Sossusvlei, à l'extrême ouest du pays, au sud du Namib, un désert qui longe la côte sur plus de 2 000 km, les plus hautes dunes du monde peuvent atteindre jusqu'à 300 m. De sable ocre, rouge ou rose, sans cesse redessinées par le vent, elles se déplacent vers le nord-est de quelques mètres par an et prennent des formes diverses : croissant ou étoile. Souvent sous l'emprise du brouillard leur paysage peut donner l'impression d'une mer intérieure.

Suprême respect pour l'environnement
La Namibie est l'un des rares pays à inscrire la protection de la nature dans sa Constitution au même titre que les droits fondamentaux des humains.

Dune 45 du désert du Namib

1884	Protectorat allemand sur le Sud-Ouest africain
1904-1907	Massacre de plus de 80 000 Hereros par les Allemands
1920	La Société des Nations donne à l'Afrique du Sud l'exercice du mandat britannique sur le pays.
1948	L'Afrique du Sud annexe le pays et introduit l'apartheid deux ans plus tard.
1990	Indépendance

superficie :
581 730 km²

population :
2 millions

densité :
3,4 hab/km²

monnaie : **pula**

150 km

ZIMBABWE

NAMIBIE

Delta de
l'Okavango

Maun

Francistown

Serowe

Selebi-
Phikwe

Désert du
Kalahari

Limpopo

Molepolole

GABORONE

Molopo

AFRIQUE DU SUD

Le Botswana

La réussite du continent

Si le diamant a favorisé le décollage économique du pays, il a aussi conduit les autorités à chasser les populations traditionnelles bochiman de leurs terres, pour offrir des concessions aux grandes entreprises minières étrangères. Cependant, le Botswana cumule les titres de « bon élève » avec l'absence de guerre dans son histoire, une tradition de démocratie participative, la place de pays le moins corrompu d'Afrique et l'accent mis, non sans succès, sur la formation de sa jeunesse (taux de scolarisation de 80 %). En vingt-cinq ans, le pays est passé de l'extrême pauvreté à une nation à revenu intermédiaire ; il a même reçu les félicitations de la Banque mondiale pour son taux de croissance parmi les plus élevés du monde jusque dans les années 1990. Il cherche en revanche à renforcer son économie du fait de l'épuisement des ressources de diamants d'ici à 2050.

L'Okavango, un mélange d'oasis et de désert

Situé dans le nord, un des seuls deltas au monde à ne jamais gagner l'océan mais à se jeter dans le désert du Kalahari, l'Okavango constitue un paysage unique et un écosystème préservé pour sa faune et sa flore. D'abord rivière sur 80 km, il se subdivise en plusieurs petits canaux pour former, sur 15 000 km², un vaste labyrinthe de lagunes et d'îles. Le site est menacé par les troupeaux de bovins qui détériorent sa végétation et un projet de barrage hydroélectrique de la Namibie voisine.

Premier producteur mondial de diamants

Les trois gisements d'Orapa, de Letlhakane et surtout de Jwaneng, considéré comme la première mine du monde pour la qualité de ses gemmes, produisent plus de 34 millions de carats par an : 25 % de la population active vit du diamant. Depuis 2008, le Botswana n'extrait plus seulement le minerai brut, mais assure sa transformation, c'est-à-dire polissage et taillage, sur place.

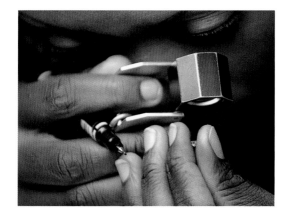

Une tailleuse de diamants au travail
à Gaborone

Le delta
de l'Okavango

1885 _ Protectorat britannique
sur le Bechuanaland

1966 _ Indépendance du
Botswana. Seretse
Khama président, marié
à une Anglaise blanche

1971 _ Mise en exploitation
de plusieurs mines
de diamants et boom
économique

2006 _ Restitution par
la justice des terres
du Kalahari aux
Bochimans

2008 _ Élection du président
de la République Seretse
Ian Khama, toujours
au pouvoir

113

superficie :
30 355 km²

population :
2,2 millions

densité :
72,4 hab/km²

monnaie : loti

60 km

AFRIQUE

Maputsoe

Teyateyaneng

MASERU

Monts Maluti

Mokhotlon

Mafeteng

Mohale's Hoek

DRAKENSBC

DU SU

Orange

Le Lesotho

Jeunes dans
la localité de
Ramabanta

Le « royaume dans le ciel »

Petit pays entièrement enclavé dans l'Afrique du Sud, situé à une altitude minimale de près de 1 400 m dans les montagnes du Drakensberg avec des pics à plus de 3 000 m, le Lesotho fait figure d'îlot traditionnel au sein de son moderne voisin. Les tabous encore forts, notamment à propos du sida, ne sont sans doute pas étrangers au développement de la maladie : près du quart de la population est infecté. Aujourd'hui, les habitants vivent d'une agriculture de subsistance, dans des conditions plus difficiles depuis le doublement en 2008 du prix du maïs, denrée alimentaire de base, alors que les terres arables ne représentent qu'un dixième de la superficie du pays. Monarchie constitutionnelle, le Lesotho reste très dépendant de son voisin : il tire 40 % de ses revenus des transferts d'argent issus des 60 % d'hommes lesothans qui travaillent dans les mines d'Afrique du Sud.

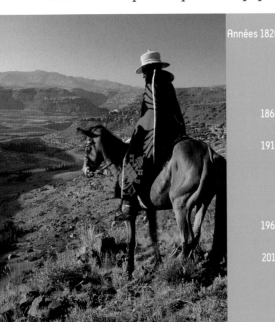

Années 1820	Unification des Sothos du Sud par le chef Moshoeshoe Iᵉʳ face aux incursions boers et à la guerre avec les Zoulous
1868	Protectorat britannique sur le Basutoland
1910	Lors de la création de l'Union sud-africaine, le Basutoland n'est pas intégré au nouveau pays et évite ainsi le régime de l'apartheid.
1966	Indépendance du royaume du Lesotho
2012	Première alternance démocratique du gouvernement alors que Letsie III est roi depuis 1996.

Premier livre en langue africaine

Auteur du livre *Chaka, une épopée bantoue*, l'écrivain Thomas Mofolo est sans doute le premier à avoir publié dans une langue africaine, le sotho, dès 1907.

La résistance sotho

Au début du XIXᵉ siècle, ce sont l'appétit de nouvelles terres des Boers et la soif de conquête des Zoulous qui conduisent le peuple Sotho à la *difacane* (migration forcée). Emmenés par leur chef et futur roi Moshoeshoe Iᵉʳ à l'est de Maseru, sur la montagne de Thaba Bosiu, une véritable forteresse naturelle, les Sothos vont résister à toutes les attaques : Ndebeles, Zoulous, Boers et même Britanniques.

CHAKA

Cavalier
surplombant la
rivière Makhaleng

Richesse de l'eau

Plus grand producteur d'eau de la région, le pays fournit les zones industrielles d'Afrique du Sud depuis 1996, date de la mise en service du plus grand barrage de la région, le Highlands Water Project. Sur les cinq grands barrages du projet prévus d'ici à 2020, deux régulent déjà les eaux de montagne et alimentent aussi le Lesotho en électricité. Mais un tiers des foyers demeurent privés d'accès à l'eau courante et le chantier a submergé une importante partie des rares terres arables du pays.

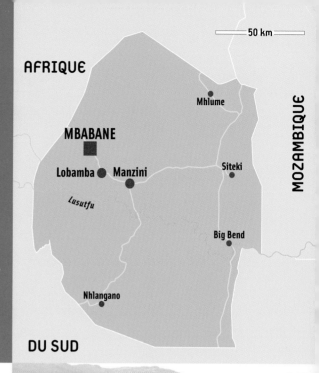

superficie :
17 364 km²

population :
1,2 million

densité :
69,1 hab/km²

monnaie : lilangeni

AFRIQUE

50 km

MOZAMBIQUE

Mhlume

MBABANE

Lobamba • Manzini

Siteki

Lusutfu

Big Bend

Nhlangano

DU SUD

Le Swaziland

Une monarchie hors du monde moderne

L'un des plus petits pays du continent, implanté sur de moyennes montagnes, où l'on trouve des espèces animales rares comme le rhinocéros noir, le Swaziland tient à garder sa richesse culturelle et maintient ainsi des fêtes et des rituels traditionnels nombreux. À partir du milieu du XIXᵉ siècle, les Swazi ont opposé une forte résistance aux Boers, aux Zoulous ainsi qu'aux Britanniques, qui ont annexé le territoire en 1902. Son économie – étroitement liée à l'Afrique du Sud qui lui fournit plus de 90 % de ses importations et reçoit environ 70 % de ses exportations – fait aujourd'hui face à de réelles difficultés. Les sécheresses répétées de ces dernières années obligent les deux tiers de la population à vivre au rythme des dons alimentaires. Et, véritable désastre social, le sida touche 26 % des habitants pour donner au Swaziland le record du plus haut taux de prévalence au monde !

Un des nombreux rituels

Lors de la très sacrée cérémonie de l'Incwala, ou fête des « premiers fruits », le roi autorise ses sujets à consommer la première récolte de l'année nouvelle.

Le roi Mswati III célébrant son quarantième anniversaire et le quarantième anniversaire de l'indépendance

Un roi excentrique

Dernier monarque absolu d'Afrique, le roi Mswati III est connu pour sa folie des grandeurs et ses dépenses somptuaires. En 2004, il décide la construction de neuf nouveaux palais afin d'héberger quelques-unes de ses épouses et débloque un crédit de 11,5 millions d'euros. En 2008, pour la célébration de son quarantième anniversaire, quarante et une BMW lui sont livrées, tandis que huit des treize épouses royales font des achats à Dubaï pour une somme estimée à 4 millions d'euros.

La naissance du calcul

Retrouvé dans les années 1970 au cœur des montagnes de Lebombo, daté de 35 000 ans av. J.-C, un péroné de babouin portant vingt-neuf encoches nettement visibles faites à la main est la plus ancienne trace de calcul numérique. Cet « os de Lebombo » témoigne de l'existence d'un système de comptage très sophistiqué qui permettait à l'homme de maîtriser le temps probablement selon les phases de la lune.

Construction de cases en forme de ruches

1902	Protectorat britannique
1968	Indépendance du royaume du Swaziland
1973	Loi interdisant les partis politiques, toujours en vigueur
1986	Le roi Mswati III monte sur le trône, toujours au pouvoir.
1997	Premiers signes de contestation sociale et de mécontentement populaire, naissance de partis politiques dissidents, grèves et manifestations

L'Afrique du Sud

La « nation arc-en-ciel »

L'Afrique du Sud a longtemps été associée au régime d'apartheid imposé par les dirigeants blancs du pays. Mais, depuis l'abolition de cette politique, en 1991, le pays a mis en œuvre un ambitieux programme de réconciliation nationale et l'Afrique du Sud est aujourd'hui un véritable État démocratique. La nation la plus urbanisée d'Afrique subsaharienne bénéficie d'un secteur économique moderne intégré dans la mondialisation qui fait d'elle la première puissance du continent. Disposant d'une influence stratégique qui dépasse ses frontières, le pays s'implique activement dans le règlement des conflits de ses voisins, du Zimbabwe à la Côte-d'Ivoire. De plus, même s'il est décédé, Nelson Mandela continue de donner une image positive à l'ensemble de l'Afrique. Cependant, pour éliminer les inégalités qui perdurent entre Noirs, Blancs et métis, l'objectif consiste à renforcer la politique de « discrimination positive » afin de promouvoir une authentique « nation arc-en-ciel ».

Coupe du monde

Vainqueur de la Coupe du monde de rugby en 1995 et en 2007 avec l'équipe des Springboks, le pays organise la Coupe du monde de football en 2010.

Le rituel du barbecue

Poulet mariné, côtelettes d'agneau, saucisses épicées, crevettes géantes du Mozambique... autant de mets dédiés au *braai*, le barbecue du dimanche pour nombre d'habitants, tous milieux confondus. Dans chaque supermarché, un rayon est réservé aux grillades et, sur les plages, on trouve des emplacements spécifiques, les *braai facilities*. Chaque invité est tenu d'apporter sa viande pour ce moment de convivialité entre amis.

Des écrivains contre l'apartheid

Parmi les figures les plus importantes de la littérature sud-africaine, on peut citer le dramaturge Zakes Mda, Nadine Gordimer, prix Nobel de littérature 1991 et figure morale du pays, André Brink dont certains livres ont été censurés, ou encore John Maxwell Coetzee, prix Nobel de littérature en 2003. Tous se sont engagés contre l'apartheid et la plupart restent assez critiques sur le bilan de l'ANC au pouvoir.

Une biodiversité exceptionnelle

Vergers et vignobles de la région du Cap, champs de canne à sucre et de coton dans le Natal, explosion florale dans le Namaqualand... C'est l'un des pays de la planète dont la biodiversité est la plus importante avec quelque 1 300 espèces florales par 10 000 km². Déserts, savanes, forêts, marécages, montagnes enneigées, plages sans fin offrent de nombreuses niches écologiques pour les espèces animales : éléphants, lions, rhinocéros, léopards, buffles, cervidés, manchots...

La locomotive du continent

Depuis la fin du XIXᵉ siècle, avec la découverte du Witwatersrand, le plus riche gisement d'or du monde, le pays occupe une position mondiale dominante dans le secteur des métaux précieux et des diamants. Boycotté pendant l'apartheid, le pays a renoué avec la croissance depuis le milieu des années 1990. Il concentre un quart du PIB continental, et la province du Gauteng compte 350 des 500 sièges sociaux des plus grandes entreprises en Afrique.

Dans le quartier d'affaires de Melrose Arch à Johannesburg

Canyon de la Blyde River, Mpumalanga

Johannesburg

NAMIBIE   BOTSWANA

Limpopo

MOZAMBIQUE

PRETORIA

Johannesburg

Molopo

SWAZI-LAND

Orange

Bloemfontein

LESOTHO

Durban

OCÉAN
ATLANTIQUE

Orange

OCÉAN
INDIEN

Le Cap

Port Elizabeth

*Cap de
Bonne-Espérance*

500 km

superficie :
1,2 million
de km^2

population :
50,7 millions

densité :
42,2 hab/km^2

monnaie :
rand

Nelson Mandela (1918-2013)

Après des études de droit à l'université noire de Witwatersrand, il devient avocat. Vice-président du mouvement multiracial African national congress (ANC) à partir de 1952, il est arrêté en 1962 puis condamné à la perpétuité pour « haute trahison ». Il reste plus de vingt-sept ans derrière les barreaux, est libéré en 1990 et reçoit le prix Nobel de la paix en 1993. Il devient président de la République en 1994.

Un pays construit dans la souffrance

Les plus anciens habitants du pays sont les Bochimans, qui peuplent le territoire depuis près de 25 000 ans, puis les Bantous arrivés au début de notre ère. À partir de 1652, des fermiers hollandais, les Boers, s'installent dans le sud du pays et provoquent de violents affrontements, surtout avec les Zoulous. En 1814, les Britanniques acquièrent la colonie du Cap et entrent en compétition, puis en guerre, avec les Boers pour le contrôle du pays. En 1910, l'Union sud-africaine devient dominion britannique, et, dès 1911, se met en place une politique de « développement séparé » qui réserve les emplois spécialisés aux Blancs.

1838 _ Victoire des Boers sur les Zoulous à la bataille de Blood River

1902 _ Victoire des Britanniques sur les Boers

1910 _ Proclamation de l'Union sud-africaine contrôlée par le Royaume-Uni

1948 : Instauration de l'apartheid, politique de ségrégation raciale appliquée à la suite de la victoire électorale du Parti national. Des lois interdisent les mariages mixtes entre Noirs et Blancs, créent des zones séparées dans les espaces publics, instaurent un cloisonnement géographique obligeant les groupes raciaux (métis, Asiatiques, Noirs) à vivre dans des zones réservées (homelands ou bantoustans).

1961 _ Proclamation de la République sud-africaine indépendant

1991 _ Suppression de l'apartheid

1994 _ Élection de Nelson Mandela à la présidence de la République. Jacob Zuma devient président en 2009.

Une nouvelle bourgeoisie noire

La population sud-africaine est composée de 79 % de Noirs, 9,6 % de Blancs, 8,9 % de métis et 2,5 % d'Asiatiques. Depuis 1994, des mesures de discrimination positive au profit des « communautés historique-ment défavorisées » prévoient qu'une partie du capital des entreprises appartient à des intérêts noirs. Ces mesures ont facilité l'émergence d'une classe moyenne noire mais n'ont bénéficié qu'à environ 10 % de la population noire (3 millions de personnes) et ont provoqué une émigration blanche qualifiée.

Jeune guerrier massaï avec sa lance

Des sagesses à portée universelle

Même si toutes ses coutumes et traditions ne se valent pas, le continent recèle des trésors inexplorés de valeurs et de façons de voir.

Des valeurs toujours actuelles

Les cultures africaines sont porteuses de valeurs communes qui transcendent les différentes civilisations continentales : hospitalité, convivialité (art du bien vivre ensemble de la Charte du Mandé), solidarité, respect de la parole donnée, sens de l'honneur, contrôle de soi, endurance face aux épreuves, gestion des conflits par l'échange, parenté à plaisanterie, respect des anciens et des ancêtres, vision holistique de la vie (vie conçue comme une unité où tout est relié)...

Sans doute issues de la nuit des temps, parfois en voie de disparition sur le continent du fait de l'urbanisation et de la vie moderne, ces sagesses n'en sont pas moins toujours actuelles, et ont une portée universelle au sens où elles peuvent être une source d'inspiration précieuse pour les sociétés occidentales.

Un exemple manifeste : au moment où la problématique écologique envahit le quotidien des pays du Nord, les peuples premiers d'Afrique peuvent leur réapprendre le respect de l'environnement à travers leurs techniques novatrices de préservation des ressources naturelles et de fixation des limites mises au point depuis des générations.

Force des initiations traditionnelles

Dans la plupart des pays du continent, surtout au sud du Sahara, quelques ethnies rurales pratiquent encore des initiations traditionnelles. Ces cérémonies, qui peuvent durer plusieurs mois, transmettent une série de valeurs permettant aux initiés de se repérer très fortement dans leur monde. Elles ont pour but de rendre le jeune plus responsable, elles installent en lui les notions de vie en collectivité et de fraternité d'âge, d'humanisme et de cohésion sociale. Elles fabriquent un groupe lié et solidaire pour la vie. Bref, elles font passer le jeune à l'âge adulte et viennent attester comment l'épreuve physique et morale, le rapport à une certaine douleur, ont pour résultat une plus grande mémorisation. Autrement dit, une épreuve traumatique marque très fort et reste comme une empreinte indélébile, et c'est le souvenir de cette épreuve qui à défaut de permettre de surmonter les autres épreuves de la vie, au moins y prépare. Depuis les années 1990, les sociétés africaines se mobilisent pour lutter contre l'excision, un rituel archaïque et mutilateur fait aux jeunes filles lors de leur initiation. Aujourd'hui, vingt pays africains disposent de lois réprimant les mutilations sexuelles féminines.

L'awalé est un jeu de société d'Afrique de l'Ouest qui fait beaucoup appel à la réflexion et à l'anticipation. Les Africains sont férus de multiples jeux (dames, dominos, cartes...).

La propriété privée de la terre n'existe pas

Sauf exception, en milieu rural, le rapport à la propriété privée du sol, telle que les Occidentaux l'entendent, n'existe pas sur le continent. La propriété du sol s'applique non à un individu mais à un groupe, un village, une communauté, uni au sol par un caractère sacré. La terre est en effet aussi celle où sont enterrés les ancêtres, on ne peut donc pas capitaliser sur elle selon son bon vouloir. Au-delà de la propriété, les droits d'usage comptent le plus. Chacun des chefs de famille d'un village a normalement accès à une partie de la terre cultivable. Ce rapport à la terre est essentiel pour comprendre nombre de conflits du continent. En Côte d'Ivoire, par exemple, les planteurs d'origine burkinabée venus cultiver le café et le cacao dans les années 1960 se sont considérés comme des propriétaires à part entière. Alors que les Ivoiriens « de souche » ont toujours estimé que ces terres étaient seulement « allouées » aux Burkinabés pour une période déterminée et qu'elles appartenaient à leurs ancêtres ivoiriens. Le phénomène va se complexifier dans les années à venir avec la conquête de nouvelles surfaces cultivables africaines. Les spécialistes estiment les opérations d'achat et les baux à long terme provenant de multinationales ou de fonds de pension internationaux à 56 millions d'hectares africains, soit une surface équivalente à la France !

L'ethnie, une notion instrumentalisée

L'ethnie désigne un groupe humain qui partage le même héritage culturel. Mais, si l'ethnie joue certes un rôle dans les conflits continentaux, elle n'est qu'une cause parmi d'autres, et masque bien souvent des oppositions de toutes sortes : genre, génération, statut, classe sociale, hiérarchie de notabilité. Elle cache la lutte pour la conquête du pouvoir, pour la rente des matières premières, pour l'accès à la terre... Loin d'être à l'origine des conflits africains, l'ethnie a depuis longtemps été largement « instrumentalisée », c'est-à-dire manipulée et mise en avant comme thématique centrale, notamment par les Occidentaux, pour mettre un voile sur des réalités et des agissements de basse politique. À Madagascar, par exemple, la colonisation a brisé la monarchie unificatrice et cherché à opposer les autres ethnies contre les Merina des hauts plateaux. Ainsi, dans le cas des événements contemporains du Soudan présentés comme un nettoyage ethnique des populations du Darfour par le gouvernement de Karthoum, des organismes fiables, dont l'OMS, ont montré que 70 % à 80 % de la mortalité de la région est due aux diarrhées provoquées par la sécheresse et 20 % à 30 %, à la violence politique.

Défilé de masques dogon au Mali

PAYS	CAPITALE	SUPERFICIE	HABITANTS	DENSITÉ	MONNAIE	DRAPEAU
Afrique du Sud	Pretoria	1,2 million de km²	49 millions	40,8 hab/km²	rand	
Algérie	Alger	2 381 740 km²	34,1 millions	14,3 hab/km²	dinar algérien	
Angola	Luanda	1 246 700 km²	17 millions	13,6 hab/km²	kwanza	
Bénin	Porto Novo	112 622 km²	9 millions	82 hab/km²	franc CFA	
Botswana	Gaborone	581 730 km²	1,9 million	3 hab/km²	pula	
Burkina-Faso	Ouagadougou	274 200 km²	15 millions	54,7 hab/km²	franc CFA	
Burundi	Bujumbura	27 830 km²	8,9 millions	319,7 hab/km²	franc du Burundi	
Cameroun	Yaoundé	475 440 km²	18,8 millions	39,5 hab/km²	franc CFA	
Cap-Vert	Praïa	4 033 km²	0,5 million	131,5 hab/km²	escudo	
Comores	Moroni	2 236 km²	0,7 million	313 hab/km²	franc comorien	
Congo	Brazzaville	342 000 km²	4 millions	11,6 hab/km²	franc CFA	
Côte d'Ivoire	Yamoussoukro	322 462 km²	20 millions	62 hab/km²	franc CFA	
Djibouti	Djibouti	23 200 km²	0,8 million	35,9 hab/km²	franc de Djibouti	
Égypte	Le Caire	1 001 450 km²	83 millions	82,8 hab/km²	livre égyptienne	
Érythrée	Asmara	117 600 km²	5 millions	42,5 hab/km²	nakfa	
Éthiopie	Addis-Abeba	1 104 300 km²	80 millions	72,4 hab/km²	birr	
Gabon	Libreville	267 667 km²	1,5 million	5,6 hab/km²	franc CFA	
Gambie	Banjul	11 300 km²	1,7 million	150 hab/km²	dalasi	
Ghana	Accra	238 537 km²	23,8 millions	99,7 hab/km²	cedi	
Guinée	Conakry	245 857 km²	10 millions	40,6 hab/km²	franc guinéen	
Guinée équatoriale	Malabo	28 051 km²	0,6 million	22,5 hab/km²	franc CFA	
Guinée-Bissau	Bissau	36 120 km²	1,5 million	41,5 hab/km²	franc CFA	
Kenya	Nairobi	582 646 km²	38 millions	65,2 hab/km²	shilling kényan	
Lesotho	Maseru	30 355 km²	2 millions	65,8 hab/km²	loti	
Liberia	Monrovia	111 370 km²	3,4 millions	30,5 hab/km²	dollar libérien	
Libye	Tripoli	1 759 540 km²	6,3 millions	3,5 hab/km²	dinar libyen	
Madagascar	Antananarivo	587 040 km²	20 millions	34 hab/km²	ariary	

Malawi	Lilongwe	118 484 km^2	14 millions	118 hab/km^2	kwacha malawite	
Mali	Bamako	1 240 192 km^2	12,6 millions	10 hab/km^2	franc CFA	
Maroc	Rabat	712 550 km^2 (avec Sahara occidental)	31 millions	69,4 hab/km^2	dirham	
Maurice	Port Louis	2 040 km^2	1,28 million	627 hab/km^2	roupie mauricienne	
Mauritanie	Nouakchott	1 025 520 km^2	3,1 millions	3 hab/km^2	ouguiya	
Mozambique	Maputo	801 590 km^2	21,6 millions	27 hab/km^2	metical	
Namibie	Windhoek	824 268 km^2	2,1 millions	2,5 hab/km^2	dollar namibien	
Niger	Niamey	1 267 000 km^2	15 millions	11,8 hab/km^2	franc CFA	
Nigeria	Abuja	923 768 km^2	148 millions	160,2 hab/km^2	naira	
Ouganda	Kampala	241 040 km^2	31 millions	128,6 hab/km^2	shilling ougandais	
République centrafricaine	Bangui	622 984 km^2	4,5 millions	7,2 hab/km^2	franc CFA	
Rép. démocratique du Congo	Kinshasa	2 344 860 km^2	65 millions	27,7 hab/km^2	franc congolais	
Rwanda	Kigali	26 338 km^2	10 millions	379,6 hab/km^2	franc rwandais	
São Tomé-et-Príncipe	São Tomé	1 001 km^2	0,2 million	199,8 hab/km^2	dobra	
Sénégal	Dakar	196 722 km^2	13 millions	66 hab/km^2	franc CFA	
Seychelles	Victoria	455 km^2	0,08 million	191 hab/km^2	roupie seychelloise	
Sierra Leone	Freetown	71 740 km^2	6 millions	83,6 hab/km^2	leone	
Somalie	Mogadiscio	637 657 km^2	9 millions	14,1 hab/km^2	shilling somalien	
Soudan	Khartoum	2 505 810 km^2	39 millions	15,5 hab/km^2	livre soudanaise	
Soudan du Sud	Djouba	644 000 km^2	10,3 millions	16 hab/km^2	livre sud-soudanaise	
Swaziland	Mbabane	17 364 km^2	1,1 million	63 hab/km^2	lilangeni	
Tanzanie	Dodoma	945 090 km^2	41 millions	43,4 hab/km^2	shilling tanzanien	
Tchad	N'Djamena	1 284 000 km^2	11 millions	8,5 hab/km^2	franc CFA	
Togo	Lomé	56 790 km^2	6,6 millions	116 hab/km^2	franc CFA	
Tunisie	Tunis	163 610 km^2	10,4 millions	63,5 hab/km^2	dinar tunisien	
Zambie	Lusaka	752 614 km^2	11,9 millions	16 hab/km^2	kwacha	
Zimbabwe	Harare	390 759 km^2	13 millions	33,2 hab/km^2	dollar américain / rand Sud-africain	

Index

A-B

Abbas Ferhat **26**
Abd el-Kader **27**
Abdallahi Sidi Ould Cheikh **35**
Abdelaziz Mohammed Ould **35**
Abidjan **52**
Abomey **59**
Abou-Simbel **33**
Achebe Chinua **60**
Addis-Abeba **68, 69, 71**
Afeworki Issayas **70**
Afi (montagne d') **61**
Agadez **57**
Aïr (massif de l') **57**
Aldabra (atoll) **108**
Amadou et Mariam **45**
Amin Dada Idi **76**
Andrade Mayra **43**
Andrianampoinimerina **111**
Anikulapo-Kuti Fela **61**
Anjouan (île d') **107**
Annan Kofi **54**
Antananarivo **111**
Arguin (banc d') **34**
Arlit **57**
Arusha **77**
Asantiwa Yaa **54**
Assouan **32**
Axoum **68, 71**
Bâ Mariama **41**
Badri Yusuf **66**
Baldwin James **96**
Bamba Sidi Mohamed Ould **35**
Bamboung **40**
Bamilékés **87**

Banda Hastings Kamuzu **106**
Bantous **80, 88, 117**
Banyarwanda **92**
Barca Hannibal **28**
Basutoland **114**
Batékés **95**
Batépa (massacre de) **85**
Battling Siki **40**
Bechuanaland **113**
Bédié Henri Konan **52, 53**
Bélinga **88**
Bembeya Jazz **48**
Ben Ali Zine el-Abidine **28, 29**
Ben Bella Ahmed **26**
Béti Mongo **87**
Betis **86**
Bhêly-Quenum Olympe **59**
Biafra (guerre du) **61**
Bikila Abebe **68**
Bioko (île de) **84**
Bissagos (îles) **48**
Biya Paul **86, 87**
Black Umfolosi **103**
Blondy Alpha **52**
Blyde River (canyon) **117**
Bochimans **113, 117**
Boers **114, 115, 117**
Boganda Barthélemy **83**
Bokassa Jean Bédel **83**
Bongo Omar **89**
Bourguiba Habib **28, 29**
Bouteflika Abdelaziz **27**
Brink André **116**
Bruly-Bouabré Frédéric **52**
Buganda (royaume de) **15, 76**
Bugul Ken **41**
Bwindi (parc national de) **76**

C-D

Cabinda **100**
Cabral Amilcar **43, 49**
Cadbury William **85**
Caillié René **44**
Cape Coast (château) **17**
Cap Bon **28**
Cardoso Carlos **105**
Carthage **27, 28, 29, 30**
Casablanca **24**
Casamance **41**
Césaire Aimé **96**
Chinguetti **34, 35**
Chissano Joaquim **105**
Cissé Souleymane **44**
Coetzee John Maxwell **97, 116**
Compaoré Blaise **47**
Condé Alpha **48**
Congo (fleuve) **80, 90**
Constantine **18**
Conté Lansana **48**
Cristal (monts de) **88, 89**
Cyrène **31**
Dahomey **58**
Damas **31**

Dangarembga Tsitsi **102**
Darfour **37, 66, 82**
Déby Itno Idriss **82**
Dekhlé (bataille de) **40**
Desalegn Hailemariam **69**
Diabaté Sidiki **45**
Didon **28**
Diome Fatou **41**
Diop Alioune **96**
Diop Birago **41**
Diop Boubacar Boris **41**
Diop Cheikh Anta **41, 96**
Diop Lat Dior Ngone Latir **40**
Diouf Abdou **41**
Djebar Assia **27**
Djenné **14, 44**
Djotodia Michel **83**
Djoudj (parc du) **40**
Doe Samuel **51**
Dos Santos José Eduardo **100**
Douala **87**
Douala Rudolf **87**
Dougga **28**
Drakensberg (montagnes du) **98, 114**
Drogba Didier **52**
Duparc Henri **52**

E-F

Ébrié (lagune) **52**
Ennedi (massif de l') **82**
Essaouira **25**
Eto'o Samuel **86**
Evora Cesaria **43**
Eyadema Etienne Gnassingbé **56**
Faidherbe Louis **34**
Fajara **42**
Fakoly Tiken Jah **52**
Fang **84**
Farah Nuruddin **97**
Farka Touré Ali **45**
Fès **24, 25**
Fezzan **31**
Fonseca Jorge Carlos **43**
Françafrique **37, 41, 53, 111**
Front Polisario **25**

G-H

Gama Vasco de **105**
Garamante (empire) **31**
Garang de Mabior John **67**
Gbagbo Laurent **53**
Gébrésélassie Hailé **68**
Gerewol (fête du) **57**
Ghadamès **30**
Ghézo (roi) **59**
Ghirza **31**
Gnassingbé Faure **56**
Gold Coast **54, 55**
Gordimer Nadine **97, 116**
Gorée **16, 40, 41**
Grand Kallé **90**

Great Zimbabwe **15, 98, 102**
Griaule Marcel **44**
Guelleh Ismaïl Omar **71**
Habré Hissène **82**
Habyarimana Juvénal **93**
Haley Alex **42**
Hampâté Bâ Amadou **45**
Hassan II **24, 25**
Hassan Mohammed Abdallah **73**
Hassi-Messaoud **26**
Haut Atlas **24, 25**
Hereros **112**
Himbas **112**
Houphouët-Boigny Félix **52, 53**
Hove Chenjerai **102**
Hutu **91, 92, 93, 94**
Hydara Deyda **42**

I-J-K

Ibn Battuta **25**
Ibn Khaldun **29**
Ifé **15, 60**
Imilchil **25**
Imouraren (mine) **57**
Issoufou Mahamadou **57**
Ivindo (parc national d') **89**
Jammeh Yahya **42**
Johannesburg **116, 117**
Johnson-Sirleaf Ellen **51**
Jonathan Goodluck **61**
Jufureh **42**
Jugurtha **29**
Kabila Joseph **91**
Kabila Laurent-Désiré **91**
Kabyés (révolte des) **56**
Kabylie **26**
Kadesh (bataille) **33**
Kadhafi (Muammar al-) **30, 31**
Kagame Paul **93**
Kairouan **28**
Kalahari (désert) **113**
Kane Cheikh Hamidou **41**
Kanem (royaume du) **60, 82**
Kanem-Bornou (empire du) **57**
Kaokoland (région du) **112**
Karamanli **31**
Karthala (volcan) **107**
Kateb Yacine **27**
Kaunda Kenneth **101**
Keïta Ibrahim Boubacar **45**
Keita Modibo **45**
Keita Salif **45**
Keita Soundjata **15, 44**
Kenyatta Jomo **20, 75**
Kenyatta Uhuru **74, 75**
Kérékou Mathieu **59**
Kerma (royaume de) **66**
Khadra Yasmina **27**
Khama Seretse Ian **113**
Khartoum **66, 67**
Kiir Salva **67**
Kikuyu **75**
Kilimandjaro **77**

Kinte Kunta **42**
Kivu (lac) **92**
Ki-Zerbo Joseph **47**
Kololi **42**
Konaré Adame Ba **44**
Koumassi **54**
Kourouma Ahmadou **53**
Koush (royaume de) **67**
Kpalimé **56**

L-M

Labou Tansi Sony **95**
Lagos **61**
Lalibela **68, 69**
Lambaréné **89**
Le Clézio Jean-Marie Gustave **109**
Le Vasseur Olivier **108**
Lebombo (os de) **115**
Léopold II **91**
Leptis Magna (arc) **31**
Lessing Doris **103**
Letsie III **114**
Litunga (roi) **101**
Livingstone David **101**
Loango **88**
Lucy **69**
Lumumba Patrice **91**
Lura **43**
Maathai Wangari **75**
Mabanckou Alain **95**
Machel Graça **105**
Machel Samora **20, 105**
Maghreb **22**
Mahama John D. **37, 55**
Mahé **108**
Makhaleng (rivière) **114**
Makoko (roi des Batékés) **95**
Makondé **105**
Manapools (parc national de) **102**
Mandara (monts) **86**
Mandé (charte du) **44**
Mandela Nelson **52, 116, 117**
Marche verte **25**
Marechera Dambudzo **102**
Marrakech **24**
Masaï-Mara (réserve nationale de) **74**
Massaïs **74, 75, 119**
Massaoua **70**
Matobo (parc national de) **102**
Mau-Mau (révolte des) **75**
Mayotte **107**
Mba Léon **89**
Mbembe Achille **97**
Mda Zakes **116**
Memmi Albert **96**
Mendes Gabriela **43**
Mendès-France Pierre **28**
Ménélik **68**
Ménélik II **68, 69**
Ménès Narmer **12**
Méroé (royaume de) **66**

Michel James **108**
Milla Roger **86**
Mindelo **43**
Moanda **88**
Mobutu Sese Seko **90, 91**
Mofolo Thomas **114**
Mohammed V **25**
Mohammed VI **25**
Mohamud Hassan Sheikh **73**
Mohéli (île de) **107**
Mombasa **74**
Monod Théodore **44**
Monomotapa (empire du) **98, 103, 105**
Morsi Mohamed **33**
Mory Philippe **89**
Moshoeshoe Ier (roi) **114**
Moubarak Hosni **33**
Moyen Atlas **24**
Mswati III **115**
Mugabe Robert **102, 103**
Museveni Yoweri **76**
Mussolini Benito **30**
Mutebi II **76**

N-O-P

Namaacha **105**
Namib (désert du) **112**
Napata (royaume de) **66**
Nasser Gamal Abdel **32, 33**
Ndebeles **114**
N'Dour Youssou **40**
Neto Agostinho **100**
Nguema Francisco Macias **84**
Nguema Mbasogo Teodoro Obiang **84**
Nhamadjo Manuel Serifo **49**
Nil **32, 66**
Njoya Ibrahim **87**
Nkrumah Kwame **20, 21, 55**
Nkunda Laurent **91**
Nkurunziza Pierre **94**
Nokoué (lac) **58**
Nollywood **61**
Nouâdhibou **34**
Nyassaland **106**
Nyerere Julius **20, 21, 77**
Obama Barack **74**
Ogaden (province de l') **68, 73**
Ogooué (fleuve) **95**
Okavango (delta de l') **113**
Olympio Gilchrist **56**
Olympio Sylvanus **56**
Ouadâne **35**
Ouattara Alassane Dramane **52, 53**
Oum Kalthoum **33**
Oyo (royaume et ville d') **60**
Park Mungo **44**
Pathé'O **52**
Pinto da Costa Manuel **85**
Pointe-Noire **95**

Pokou Abraha **52**
Port-Gentil **88**
Puntland **72, 73**
Pygmées **83, 84, 88**

R-S-T

Raharimanana Jean-Luc **111**
Rajoelina Andry **111**
Rakotonaivo Julien **111**
Rakotoson Michèle **111**
Ramgoolam Navin **109**
Ramos Mariana **43**
Ramsès II **33**
Ranavalona III **111**
Ratsiraka Didier **111**
Ravalomanana Marc **111**
Rawlings Jerry **55**
René France-Albert **108**
Rhodes Cecil John **103**
Rhumsiki **86**
Rift (vallée du) **74**
Rodrigues (île) **109**
Rouch Jean **57**
Rufisque **41**
Sahara **22, 38**
Sahel **38, 57**
Sahraouis **25**
Saint-George d'Elmina **54**
Saint-Louis **40, 41**
Sainte-Marie (île) **110**
Sall Macky **41**
Sangaré Oumou **45**
Sankara Thomas **46, 47**
Sankoh Foday Sabana **50**
Santo Antão **43**
São Nicolau **43**
Saro-Wiwa Ken **60, 61**
Sassou-Nguesso Denis **95**
Sata Michel **101**
Savorgnan de Brazza Pierre **19, 95**
Schweitzer Albert **89**
Sebbar Leïla **27**
Sélassié Hailé **68, 69**
Selous (réserve de) **77**
Sembène Ousmane **41**
Sénégambie **42**
Senghor Léopold Sédar **40, 41, 96**
Serengeti (réserve de) **77**
Sétif **27**
Sibidé Malick **44**
Sissako Abdherramane **35**
Siyad Barre Muhammad **72, 73**
Smith Ian **103**
Somaliland **72, 73**
Songhaï (Empire) **57**
Sothos **114**
Sow Fall Aminata **41**
Sow Ousmane **40**
Soyinka Wole **60, 97**
Suez (canal) **32**
Taharka le Grand **13**
Taï (parc national) **52**

Tanganyika (lac) **77, 94**
Tanger **24, 25**
Tarrafal **43**
Tavares Sara **43**
Taylor Charles **50, 51**
Taylor George **108**
Tchak Sami **97**
Ténéré **57**
Thaba Bosiu (montagne de) **114**
Théodoros II **68**
Thiaroye **19**
Tibesti (massif du) **82**
Tombouctou **25, 44**
Touré Ahmed Sékou **21, 48**
Touré Amadou Toumani **45**
Touré Barry Aminata **79**
Touré Samory **45, 48**
Traoré Aminata **44**
Traoré Moussa **45**
Traoré Rokia **45**
Tsvangirai Morgan **103**
Tutsi **91, 92, 93, 94**

U-V-W

Uwilingiyimana Agathe **93**
Victoria (chutes) **101, 102**
Victoria (lac) **76, 77**
Vita Kimpa **95**
Volta (lac) **54**
Wade Abdoulaye **41**
Wadi Mardoum **31**
Wamas **58**
Witwatersrand **116**
Wodaabe (nomades peuls) **57**

X-Y-Z

Xhosas **98**
Yayi Boni Thomas **58, 59**
Yennega **46**
Yopougon **52**
Yoruba (pays) **60**
Zambèze (fleuve) **101**
Zanzibar **77**
Ziguinchor **41**
Zinder **57**
Zongo Norbert **47**
Zouérate **34**
Zoulous **98, 114, 115, 117**
Zuma Jacob **117**

Crédits photographiques

Les documents des frises pour chaque pays © Shutterstock.
12 Dessins rupestres, Libye © Clara/Shutterstock. **13** Tête de Taharka, roi de la XXVe dynastie, vers 690-664 av. J.-C., granit gris, Musée égyptien du Caire © Andrea Jemolo/Akg-images. **14** Mosquée de Djenné au Mali © Attila Jandil/Shutterstock. **15** Ruines de Great Zimbabwe © Georg Gerster/Rapho/Eyedea. **16** Monument en mémoire de l'esclavage, Gorée, Sénégal © Faberfoto/Shutterstock. **17** Château de Cape Coast, Ghana © Werner Forman/Corbis. **18** La prise de Constantine (Algérie) par les troupes françaises en 1837. Archives Gallimard. **19** Pierre Savorgnan de Brazza, avec deux marins, photo prise par Nadar © Bettmann/Corbis. **20** Portraits provenant de billets de banque. DR. **21** Juin 1960, Dakar (Sénégal) © Keystone-France/Eyedea. **24** Construction du nouveau port de Tanger © Roberto/Urba images server. **25** h : Souk des tanneurs à Fès © Bruno Morandi/Hemis.fr ; c : Enfants sahraouis portant le drapeau du Polissario dans un camp de réfugiés près de la frontière algérienne, 1977 © Afp ; b : Architecture mauresque, entrée de l'école nationale des Beaux-Arts, Tétouan. © Alfredo Caliz/Panos-Réa ; bd : Ibn Battuta en Égypte, *in Découverte de la terre par Jules Verne*, XIXe s. © Leemage. **26** h : Manifestation étudiante, Alger, 2 mai 2011 © Zohra Bensemra/Reuters ; c : Raffineries de Hassi-Messaoud © Michel Huet/Hoa-Qui/Eyedea. **27** h : La casbah d'Alger © Matthieu Colin/Hemis.fr ; c : 3 juillet 1962, Alger © Keystone-France/Eyedea ; d : Abd-el-Kader lors de sa détention au château d'Amboise en 1852, huile sur toile de Tissier Ange, XIXe s., Versailles, châteaux de Versailles et de Trianon © Hervé Lewandowski/RMN. **28** g : Le métro de Tunis © Nicolas Thibaut/Photononstop ; b : Carthage, vestiges sur la colline de Byrsa © Frank Ghiziou/Hemis.fr. **29** h : Premier anniversaire de la chute du président Ben Ali, Tunis, 14 janvier 2012 © Fethi Belaid/Afp ; c : Muhammad al-Habib (1858-1929), bey de Tunis © Roger-Viollet ; d : Ibn Khaldun, DR. **30** La ville antique de Ghadamès, © Roberto Caccuri/Contrasto-Réa. **31** h : Libyens célébrant l'ouverture d'un tronçon de la Grande Rivière artificielle, 7 mars 2002 © Behrouz Mehri/Afp ; c : Préparation du thé lors d'un bivouac, désert du Fezzan © Frank Ghiziou/Hemis.fr ; d : Muammar al-Kadhafi © Bertrand Rieger/Hemis.fr ; b : Le chancelier allemand Gerhard Schroeder avec Muammar al-Kadhafi à Tripoli le 14 octobre 2004 © John Macdougall/Afp. **32** g : Place Ramsès, Le Caire © Frédéric Soreau/Photononstop ; d : Barrage d'Assouan © Lloyd Cluff/Corbis. **33** h : Rue au Caire © Frédéric Soreau/Photononstop ; c : Manifestation place Tahrir au Caire, 8 avril 2011 © Misam Saleh/Afp ; d : Oum Kalsoum, Paris, 1974 © Elkoussy/Gamma/Eyedea. **34** g : Train Zouérate-Nouadhibou © Francois Perri/Réa ; c : Bibliothèque de Chinguetti © Emilio Suetone/Hemis.fr. **35** h : Retour des pêcheurs, région de Nouakchott © C. Boisseaux/Lavie-Réa ; g : Abdherramane Sissako © Françoise Huguier/Rapho/Eyedea ; d : Des milliers de gens à Nouakchott soutiennent la junte militaire qui veut renverser le président Sidi Ould Cheikh Abdallahi, 6 août 2008 © Ahmed Elhad/Afp. **36** Parlement de Dakar, Sénégal © Fabrice Hervieu-Wane. **37** h : Le général Martin Luther Agwai, commandant de la MINUAD, la force hybride ONU-Union Africaine © Sven Torfinn/Panos-Réa ; b : Soutiens du président John D. Mahama, Accra, Ghana, 9 décembre, 2012 © Pius Utumi Ekpei/AFP. **40** Saint-Louis, départ pour la pêche © Catherine et Bernard Desjeux.

41 h : Atelier de tailleurs, quartier Sandaga de Dakar © Catherine et Bernard Desjeux ; c : Portrait de Cheikh Anta Diop. DR ; cd : Île de Gorée © Véronique Durruty/Rapho/Eyedea ; b : Manifestation anti-gouvernementale, Dakar, 15 février 2012 © Tanya Bindra/AP/Sipa. **42** h : Traversée en bac du fleuve Gambie entre Banjul et Barra © Christian Dumont/Réa ; b : Paysage de Gambie © Jordis Schlosser/Ostrkreuz/Rapho/Eyedea. **43** h : Île de Santo Antão © Christian Vaisse/ Hoa-Qui/Eyedea ; b : Un homme porte un thon sur le marché central de Praia, 2006 © Michel Setboun/Corbis. **44** Masque du village de Tireli, falaise de Bandiagara dans le pays dogon © Catherine et Bernard Desjeux. **45** h : Femmes peules aux boucles d'oreilles en or géantes © Catherine et Bernard Desjeux ; g : Amadou Hampâté Bâ © Afp ; d : Traversée du fleuve Niger des bœufs à Diafarabé © Catherine et Bernard Desjeux ; b : Combattants d'Ansar Dine, milice islamiste, Gao, 18 juin 2012 © Stringer/Reuters. **46** Homme Peul chassant des criquets à Petoy © Georg Gerster/Rapho/Eyedea. **47** h : Tas de coton après la récolte du village de Yoyo © Xavier Rossi/Réa ; c : Cour d'une maison traditionnelle aux murs peints dans le palais royal du peuple Gourounsi Kassena © Philippe Roy/Hoa-Qui/Eyedea ; d : Joseph Ki-Zerbo en 1978 © ACE/Afp ; b : Manifestation à Ouagadougou après l'assassinat de Norbert Zongo © Afp. **48** h : Les Amazones de Guinée, membres de l'armée, Conakry, avril 2008 © Judith Burrows/Getty Images/Hulton Archive ; b : Un technicien dans l'usine de Bauxite de Kamsar © Georges Gobet/Afp. **49** h : Enfants portant des seaux d'eau potable à Bolama © Ernst Schade/Panos-Réa ; b : Trieuse sélectionnant des amandes de noix de cajou, Quinhamel © Georges Gobet/Afp. **50** h : Mineurs cherchant des diamants près de la rivière Sewa, Nyagbebo © Espen Rasmussen/Panos-Réa ; b : Victimes de la guerre civile en Sierra Leone © Sven Torfinn/Panos-Réa **51** g : Des réfugiés de la guerre accueillant l'aide humanitaire américaine © Patrick Robert/Corbis ; d : Enfant armé dans les rues de Monrovia en 2003 © Nic Bothma/Epa/Corbis. **52** Manifestation de soutien au président Gbagbo, le 1er février 2002 à Abidjan © Patrick Robert/Corbis. **53** h : Exportation du cacao, port d'Abidjan © Sven Torfinn/Panos-Réa ; g : Félix Houphouët-Boigny, à Abidjan 1959 © Afp ; d : Laveurs de linge de la forêt de Banco à Abidjan © Jean-Luc Manaud/Rapho/Eyedea ; b : Ahmadou Kourouma, 1989 © Ulf Andersen/Getty Images. **54** Procession d'Ashantis parés d'or à Kumasi, sud du Ghana, 1986 © Fred Mayer/Hulton Archive/Getty Images. **55** h : Groupe d'écolières © David South/Imagestates/Eyedea ; d : Le château Saint-George d'Elmina © Sven Torfinn/Panos-Réa ; g : Le président Jerry Rawlings lors des élections de 1996 © Issouf Sanogo/Afp ; b : Kwame Nkrumah © Keystone France/Eyedea. **56** d : Maison fortifiée «tata». Architecture traditionnelle Tamberma (ethnie Somba), avec mur en banco et toit de chaume, Nadoba © Philippe Roy/Hoa-Qui/Eyedea ; g : Féticheur dans le quartier d'Akodessewa, Lomé © Pascal Deloche/Godong/Corbis. **57** g : Peul Bororo avec visage peint pour le concours de beauté du Gerewol © Bruno Morandi/hemis.fr ; d : Porte du désert, la Grande Mosquée d'Agadez, architecture de terre datant du XVIe s. © Bruno Morandi/Hemis.fr. **58** Cérémonie vaudoue dans un village du centre du Bénin © Sylvain Guichard/Réa. **59** h : Centre-ville de Cotonou à la veille de Noël © Catherine et Bernard Desjeux ; g : Jaquette du livre *Un Piège sans fin* d'Olympe Bhêly-Quenum, éditions Présence Africaine ; d : Les précipitations abondantes

assurent au Bénin de belles cultures vivrières, Tokanme-Aliho, 2009 © Meyer/Tendance Floue ; b : Mathieu Kérékou, 1986 © Patrick Durand/Corbis Sygma. **60** La raffinerie de Mobil Exxon à Bonny Island © Ed Kashi/Corbis. **61** h : Magasin de vente de films Nollywood à Lagos © Tadej Znidarcic/Redux-Réa ; c : Foule du marché Oshodi dans la ville de Lagos © James Marshall/Corbis ; g : Fela Anikulapo-Kuti en 1988 © Afp ; b : Volontaires de la Croix-Rouge en 1968 durant la guerre du Biafra au sud-est du Nigeria © François Mazure/Afp. **63** Aliko Dangote, Lagos, 13 juin 2012 © Akintunde Akinleye/Reuters. **66** Khartoum, marché sur l'île Tuti au milieu du Nil © Isam al-Haj/Afp ; Soldats de l'AMIS dans le camp de déplacés de Gereida © Sven Torfinn/Panos-Réa. **67** Homme du peuple Dinka dans la région du Sudd © Kazuyoshi Nomachi/Corbis ; Manifestation de joie pour l'indépendance du Soudan du Sud, 7 juillet 2011 © HO/Reuters. **68** bg : 24 août 1999, Haïlé Gébrésélassie célèbre sa victoire au 10 000 m à Séville © Eric Cabanis/Afp ; bd : Récolte de grains de café dans la province de Kaffa © Jean-Claude Coutausse/Rapho/Eyedea. **69** h : Église Saint-Georges à Lalibela © Morales/Age Fotostock/Hoa-Qui/Eyedea ; d : Hailé Sélassié en 1974, Addis-Abeba © Laurent Michel/Gamma/Eyedea ; g : Négus d'Éthiopie © Albert Harlingue/Roger-Viollet. **70** g : Massaoua sur les rives de la mer Rouge © Thomas Goisque ; d : Femme soldat du Front populaire de libération érythréen © Alex Bowie/Getty Images. **71** g : Gare de Djibouti, arrivée du train en provenance d'Éthiopie © Thomas Goisque ; d : Entraînement dans le désert de soldats français et américains © Patrick Robert/Corbis. **72** d : Le camp de Dadaab au Kenya, septembre 2007 © Tony Karumba /Afp ; g : Vote au cours du référendum constitutionnel au Somaliland, 31 mai 2001 © Pedro Ugarte/Afp. **73** h : Port naturel de El-Mahaan © Sven Torfinn/Panos-Réa ; c : Hassan « le Mollah fou », statue équestre, DR ; g : Mogadiscio après la guerre civile, 2007 © Sven Torfinn/Panos-Réa ; d : Opération *Restore hope* en Somalie © Patrick Aventurier/Gamma/Eyedea. **74** d : Gnous traversant une rivière durant la migration, Masaï-Mara © Denis-Huot Michel et Christine/Biosphoto ; g : Culture de la rose destinée au marché européen © Marta Nascimento/Réa. **75** h : Danses rituelles des Massaïs © Thomas Goisque ; g : Dr. Wangari Muta Maathai, février 2009 © Charley Gallay/Getty Images for NAACP/Afp ; d : Jomo Kenyatta © Afp. **76** d : Scène de pêche au lac Victoria, près de Kampala © Andy Johnstone/Panos-Réa ; g : Gorille dans le parc national de Bwindi © Ingo Arndt/Npl/Jacana/Eyedea. **77** Éléphants et zèbres dans le parc national du Kilimandjaro © Mauritius/Photononstop ; c : Dhow voilier traditionnel, Zanzibar © Nik Wheeler/Corbis. **78** Salle de classe au Kénya © Shutterstock. **79** h : Barry Aminata Touré, présidente de l'*African development coalition* rencontre des associations de femmes au stade Babemba Traoré, juin 2007 © Georges Gobet/Afp ; b : L'Institut supérieur de management, école privée, créée par Amadou Diaw, Dakar © Eric Maulavé. **82** h : Un marché au coton près de Berem au sud de N'Djamena © Alain Pinoges/Ciric ; b : Massif de l'Ennedi au coucher du soleil © Ifa Bilderteam/Photononstop. **83** h : Femmes pygmées Aka pêchant dans un cours d'eau © Véronique Durruty/Rapho/Eyedea ; b : Femme tamisant de la boue pour trouver des diamants © Francois Perri/Rea. **84** g : Port de Malabo : ferry appareillant pour Bata © Tina Hager/Cosmos ; d : Tortue retournant vers la mer après la ponte © Pierre Huguet/Biosphotos. **85** g : Gare routière au centre de la ville de São Tomé © Desirey Minkoh/Afp/Getty Images ; d : La récolte de fèves de cacao sur une plantation de Diego Vaz © Pascal Aimar/Tendance Floue. **86** Femme transportant du bois dans la région Rumsiki © Bernard Foubert/Photononstop. **87** h : Fête traditionnelle Bamilékée avec masques d'éléphants © Claude Pavard/ Hoa-Qui/ Eyedea ; c : Transport de grumes de Douala © Thomas Goisque ; d : Mongo Béti © Frédéric Reglain/Gamma/ Eyedea ; g : Mission franco-allemande de délimitation du Congo-Cameroun, 1913. Périquet, chef de mission, et ses collaborateurs à Léré © Albert Harlingue/Roger-Viollet. **88** g : Danse d'initiés au rite du Bwiti © Desirey Minkhov/ Afp ; c : Plate-forme offshore d'extraction du pétrole au large de Port-Gentil © Doug Scott/Age Fotostock/Hoa-Qui/Eyedea. **89** h : Chutes de la Djidji, parc national d'Ivindo © Yann Arthus Bertrand/Altitude ; c : Philippe Mory sur un plateau de tournage DR ; b : Dr. Albert Schweitzer portant un enfant à Lambaréné, 1956 © Bettmann/Corbis. **90** Taxi collectif dans les rues de Kinshasa © Tim Dirven/Panos-Réa. **91** h : Pirogues sur le fleuve Congo © Per-Anders Pettersson/ Getty Images ; c : Patrice Lumumba à Léopoldville, le 9 septembre 1960 © Bettmann/Corbis ; d : Travailleur dans une mine de coltan près de Goma © Michael Zumstein/Œil Public ; g : Rebelles rejoignant les forces gouvernementales © Lionel Healing/Afp. **92** Évacuation d'orphelins rwandais à Goma © Sophie Elbaz /Corbis Sygma. **93** Préparation de terrasses à flanc de colline pour l'agriculture © Martin Roemers/Panos-Réa ; c : Agathe Uwilingitimana, Premier ministre, 1993 © Pascal Le Segretain/Corbis/Sygma ; hd : Gardien de vaches © Jan Van De Vel/Reporters-Réa ; b : Opération turquoise, près de Butare en 1994 © Hocine Zaourar/Afp. **94** g : Hommes transportant des carottes © Aris Mihich/Tips/Photononstop ; d : Une famille tutsi dans l'enceinte du « rugo » © Bertrand Rieger/Hémis.fr. **95** h : Jeunes jouant dans les rues de Brazzaville © Martin Van Der Belen/Afp/Getty Images ; b : Le sapeur Bienvenu Mouzieto dans le quartier de Bacongo à Brazzaville © Hector Mediavilla/Picture Tank. **96** Joueur de djembé © Shutterstock. **97** h : Wole Soyinka en 2000 © Mc Pherson Colin/Corbis Sygma ; b : Porgy and Bess, mise en scène de Robyn Orlin © Laurent Paillier/Agence Enguerand. **100** h : Port de Luanda et bidonvilles attenants © Thomas Goisque ; b : Chercheurs d'or à Lunda Norte © Olivier Polet/ Corbis. **101** h : Chutes Victoria © Harvey Martin/NHPA/ Cosmos ; g : Minerai de cuivre © Jens Mayer/Shutterstock ; d : Ouvrier de la Copperbelt tenant du cuivre © C. Bibby/ Financial Times-Réa. **102** Fermier zimbabwéen à Lions Den, 15 août 2001 © STR/Afp. **103** h : Éléphant bousculant un buffle © Chad Ehlers/Tips/Photononstop ; c : Caricature de Cecil Rhodes © The Art Archive/Picture Desk ; d : Inflation de la monnaie du Zimbabwe, mars 2008, marché noir de Harare © Robin Hammond/Panos-Réa ; b : Doris Lessing, 2004 © Colin McPherson/Corbis. **104** Taxi-brousse vers Ibo, 2008 © Ulrich Lebeuf/Myop. **105** Baie de Pemba, pêcheurs à bord d'un dhow © Thomas Goisque ; c : Masque de femme Macua © Thomas Goisque ; g : Graca Machel-Mandela, femme de Nelson Mandela © Herwig Vergult/Afp ; d : Membre du parti marxiste FRELIMO parle à des habitants de Maputo pendant la révolution, 1979 © Ria Novosti/Afp. **106** d : Groupe d'enfants devant le lac Malawi © Christophe Smets/Luna-Réa ; g : Femmes transportant de l'eau du puit à leurs habitations © Mikkel Ostergaard/Panos-Réa. **107** h : Volcan Karthala de la Grande Comore, 29 mai 2006 © Stringer/Afp ; b : Mariage, village de Domoni sur l'île

d'Anjouan © Jean Du Boiberrabger/Hemis.fr. **108** g : Rue de Victoria, sur l'île de Mahé © Michel Renaudeau/Hoa-Qui/ Eyedea ; d : Plage d'Anse Source d'Argent © Ranz Aberham/ Anzenberger/Cosmos. **109** d : Mauriciennes devant un champ de canne à sucre © Christian Vaisse/Hoa-Qui/ Eyedea ; c : Le chercheur d'or de J.-M. G. Le Clézio, Éditions Gallimard ; g : Tamouls du sud de l'Inde pratiquant la marche pieds nus sur les braises © Michael Friedel/Rapho/ Eyedea. **110** Maki brun © Véronique Durruty/Rapho/Eyedea. **111** h : Baobabs, Madagascar © Christian Vaisse/Hoa-Qui/ Eyedea ; c : Didier Ratsiraka, Madagascar 1975 © Claude Salhani/Sygma/Corbis ; b : Dans une école de Tamatave © Thomas Goisque ; d : Ranavalona III, 1897 au moment de sa capitulation et de son exil forcé in L'Illustration 1896 © Mary Evans/Keystone/Eyedea. **112** b : Dune 45 du désert du Namib © Julien Daniel/Myop ; h : Femme couverte d'onguent rouge dans un village Himba © Julien Daniel/Myop. **113** g : Tailleuse de diamants, Gaborone © Alexander Joe/Afp ; d : Delta de l'Okavango © Patrick De Wilde/Hoa-Qui/Eyedea. **114** h : Jeunes de Ramabanta © Hardy Mueller/Laif-Réa ; b : Hommes à cheval surplombant la rivière Makhaleng © Clemens Emmler/Laif-Réa. **115** h : Le roi King Mswati III, le 6 septembre 2008 © Schalk van Zuydam/AP/Sipa ; b : Hommes préparant une case en forme de ruche © Van Zandbergen Ariadne/OSF/ Biosphoto. **116** Melrose Arch à Johannesburg, quartier des affaires © Ian Berry/ Magnum photos. **117** h : Blyde River canyon © Patrick Dieudonné ; c : Vue de Johannesburg © Jon Hicks/Corbis ; d : Nelson Mandela © David Turnley/Corbis ; b : Sud-Africains de Carltonville lisant le journal le 12 septembre 1973, à propos des échauffourés entre les forces de l'ordre et des mineurs © Bettmann/Corbis. **118** Jeune guerrier massaï avec sa lance © Andrejs Jegorovs/Shutterstock. **119** h : Mancala, Cap-Vert © Robert van der Hilst/Corbis ; b : Masques dogon, troupe Awa de Sangha © Bernard et Catherine Desjeux.

Bibliographie

Carol Beckwith, Angela Fisher, *Cérémonies d'Afrique*, La Martinière, 2002.
Un travail ethnographique autour des rituels et des cérémonies qui font l'âme du continent : initiation, mariage, décès, célébrations et cultes.

Nelson Mandela, *Un long chemin vers la liberté*, Livre de Poche, 1996.
L'enfance royale, le premier cabinet d'avocats noirs, les années de clandestinité et de militantisme, la prison, les négociations de paix avec le gouvernement... Autobiographie de celui qui a lutté pour faire tomber l'apartheid en Afrique du Sud.

Serge Latouche, *Entre mondialisation et décroissance. L'autre Afrique*, À plus d'un titre, 2008.
Économiste et défenseur de la décroissance soutenable, l'auteur fait une critique très pointue de la mondialisation et prône une théorie de l'après-développement.

Anne-Cécile Robert, *L'Afrique au secours de l'Occident*, L'Atelier, 2006.
Puiser intelligemment dans son patrimoine culturel, chercher ce qui fait sa force et sa spécificité, permettrait au continent d'apporter au monde une vision plus harmonieuse des rapports entre les hommes, la nature et l'économie.

François-Xavier Verschave, *De la Françafrique à la Mafiafrique*, Tribord, 2005.
L'auteur montre comment la proclamation des indépendances n'a pas empêché des réseaux politiciens de continuer à piller le continent au profit d'hommes de pouvoir en France. Il préconise d'y mettre fin et donne des solutions pour de nouveaux rapports avec les pays du Sud.

Webographie

www.bbc.co.uk/afrique/
Avec ses cinq journaux quotidiens en langue française et ses magazines de grande qualité, la radio complète son approche par des dossiers électroniques thématiques.

www.rfi.fr/afrique
Premier réseau FM du monde, la radio, avec ses onze heures de production sur l'Afrique, diffuse des magazines de grande qualité intellectuelle. Elle dispose d'une base de données unique sur les musiques mondiales (www.rfimusique.com).

www.afrik.com/autre-afrik
Afrik.com accueille une rubrique d'articles d'opinion, d'analyse et de réflexions de contributeurs extérieurs de haut niveau qui enrichissent le regard porté sur le continent.

www.africultures.com/php/
Pour une meilleure connaissance, et reconnaissance, de toutes les expressions culturelles africaines, et notamment de leurs apports à la société française.

http://afriqueinvisu.org
Plate-forme d'échanges autour du métier de photographe en Afrique, elle met en réseau les professionnels du continent.

L'Afrique, de l'Algérie au Zimbabwe
Direction éditoriale
Thomas Dartige

Édition
Françoise Favez

Direction artistique
Élisabeth Cohat

Conception graphique et réalisation
Alex Viougeas et Claire Poisson

Conception couverture
Marguerite Courtieu

Coordination iconographique
Isabelle de Latour

Iconographie
Perrine Dragic

Cartographie
Paul Coulbois

Fabrication
Christophe de Mullenheim

Correction
Lorène Bücher et Isabelle Haffen

Index
Lorène Bücher

Photogravure
Scanplus